Leda

UNO

Richard Bach

uno

Javier Vergara Editor
GRUPO ZETA **Z**

Buenos Aires / Barcelona
Madrid / Caracas / México / Montevideo
Bogotá / Quito / Santiago de Chile

Título original
ONE

Edición original
William Morrow

Traducción
Edith Zilli

ISBN 950-15-0863-3

Impreso en la Argentina/Printed in Argentine.
Depositado de acuerdo a la Ley 11.723.

Introducción

Hemos recorrido juntos un largo camino, ¿verdad, querido lector?

Cuando nos conocimos, hace veinticinco años, yo era un piloto de aviación, fascinado por el vuelo, que buscaba significados detrás de los instrumentos y la velocidad aerodinámica. Hace veinte años, nuestro viaje nos condujo hasta un esquema de vida en el ala de una gaviota. Hace diez años conocimos al salvador del mundo y descubrimos que era nosotros. Sin embargo, hasta donde tú podías saber, yo era un alma solitaria, con la mente llena de rumbos y altitudes, oculta tras una pantalla de palabras. Y tenías razón.

Por fin confié conocerte lo suficiente para sugerir que mis aventuras podrían haber sido también las tuyas, felices y no tan felices. ¿Empiezas a comprender cómo funciona el mundo? Yo también. ¿Te has sentido inquieto y solo con lo aprendido? También yo. ¿Te has pasado la vida buscando un único y precioso amor? Yo también lo he hecho, y lo hallé, y en *El puente hacia el infinito* te presenté a Leslie Parrish-Bach, mi esposa.

Ahora escribimos juntos, Leslie y yo. Nos hemos convertido en RiLeschardlie; ya no sabemos dónde termina el uno y donde empieza la otra.

Gracias a *El puente*, nuestra familia de lectores se ha vuelto aún más cálida. A los aventureros que volaban conmigo en los primeros libros se han agregado quienes ansían el amor y quienes lo han encontrado: nuestras vidas son un espejo de las de ellos, según escriben una y otra vez. ¿Será posible que todos nosotros estemos cambiados y nos reflejemos mutuamente?

Leslie y yo solemos leer nuestra correspondencia en la cocina; uno lo hace en voz alta, mientras el otro prepara la comida-sorpresa del día. Con las cartas de algunos lectores hemos reído tanto que las ensaladas han caído en la sopa; otros nos han dado lágrimas a guisa de sal.

Un día, a manera de hielo, recibimos ésta:

"¿Te acuerdas del Richard alternativo sobre el cual te preguntabas en *El puente*? El que huyó, el que rehusó permutar sus muchas mujeres por Leslie. Se me ocurrió que te gustaría recibir noticias mías, porque yo soy ese hombre y sé lo que ocurrió después."

Los paralelos que nos indicaba eran asombrosos. También él es escritor; había ganado súbitamente una fortuna con un solo libro y cayó en los mismos problemas impositivos que yo. También él dejó de buscar a una única mujer y se conformó con muchas.

Después conoció a una que lo amó por lo que él era. Y ella le dio a elegir: sería la única mujer de su vida o no formaría parte de su vida en absoluto. Era la misma eleccion que Leslie me planteó a mí; estaba en la misma bifurcación del camino.

En esa bifurcación yo viré a la derecha, para elegir la intimidad y el cálido futuro que esperaba recibir con ella.

El giró a la derecha. Se alejó de la mujer que lo amaba, abandonó sus casas y sus aviones para que el gobierno se apoderara de ellos y voló (como yo estuve a punto de hacerlo) a Nueva Zelandia. La carta proseguía:

"...con la literatura me va bien; tengo casas y automóviles en Auckland, Madrid y Singapur; puedo viajar a cualquier lugar del mundo, salvo a Estados Unidos. Nadie intima demasiado conmigo.
"Pero aún pienso en mi Laura. Me pregunto qué habría pasado si yo le hubiera dado una oportunidad. Podría ser lo que me cuenta *El puente*. Ustedes dos ¿aún están juntos? ¿Tomé la decisión correcta? ¿O la correcta fue la de ustedes?"

El hombre es multimillonario; todos sus deseos se hacen realidad y el mundo es su feria de diversiones. Pero tuve que secarme una lágrima y, al apartar la vista de su carta, vi a Leslie apoyada contra la mesa, con la cara escondida entre las manos.

Por mucho tiempo habíamos pensado que él era una ficción, un alma espectral que vivía en alguna extraña dimensión del podría-haber-sido, alguien inventado por nosotros. Después de su carta nos sentimos inquietos, intranquilos, como si una campanilla nos estuviera llamando y no supiéramos cómo responder.

Entonces (coincidencia) releí un extraño librito de física llamado *La interpretación de los mundos múltiples de la mecánica cuántica*. Mundos múltiples, por cierto, según decía. A cada instante el mundo que conocemos se divide en un número infinito de otros mundos, futuros diferentes y diferentes pasados.

Según la física, el otro Richard no desapareció en la bifurcación donde yo cambié mi vida. Existe en este momento, en un mundo alternativo que se desliza junto a éste. En ese mundo, también Leslie Parrish eligió una vida diferente: Richard Bach no es su esposo, sino el hombre al que dejó partir cuando descubrió que no le ofrecía amor y regocijo, sino infinitos dolores.

Después de releer *La intepretación de los mundos múltiples*, mi subconsciente se llevó a la cama un ejemplar fantasma del libro para leerlo todas las noches y acicatearme en tanto dormía.

¿Y si pudieras hallar un camino hacia esos mundos paralelos?, susurraba. ¿Y si pudieras conocer al Richard y a la Leslie que fueron antes de cometer sus peores errores y tomar sus decisiones más inteligentes? ¿Y si pudieras advertirles, agradecerles, hacerles cualquier pregunta que desearas? ¿Qué sabrían ellos de la vida, de la juventud, la vejez y el morir, la carrera, el amor y la patria, la guerra y la paz, las responsabilidades, las elecciones y sus consecuencias, sobre el mundo que tú tomas como real?

Vete, le dije.

¿Crees que no perteneces a este mundo, lleno de guerras y destrucción, odio y violencia? ¿Por qué vives aquí?

Déjame dormir, dije.

Buenas noches, dijo él.

Pero las mentes fantasmas nunca duermen; en mis sueños oía volver páginas y más páginas.

Ahora estoy despierto y las preguntas perduran. ¿Es cierto que nuestras elecciones cambian nuestros mundos? ¿Y si la ciencia tuviera razón?

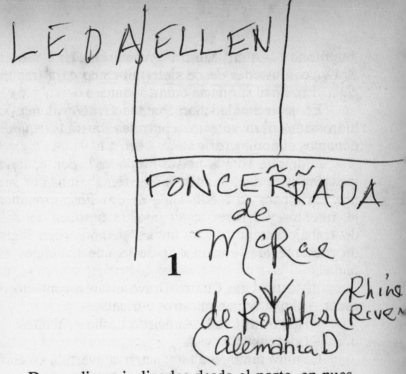

LEDA/ELLEN

FONCEŇŇADA
de
McRae
de Rolphs (Rhine River)
(alemania D

1

Descendimos inclinados desde el norte, en nuestro hidroavión nieve-y-arco-iris, por sobre montañas del color de los recuerdos viejos. El vasto buñuelo de cemento de la ciudad se elevó gradualmente allá adelante, por entre el resplandor, cociéndose en el verano, postre final después de un largo vuelo.

—¿Cuánto falta, queridita? —pregunté.

Leslie tocó el receptor de navegación de largo alcance y los números se encendieron en el tablero de instrumentos.

—Cuarenta y ocho kilómetros al norte —dijo—. Faltan quince minutos. ¿Quieres el acercamiento a Los Angeles?

—Gracias —dije, y sonreí. ¡Cuánto habíamos cambiado desde que nos conociéramos! Ella, a quien antes aterrorizaba volar, ahora también era piloto. Yo, a quien antes aterrorizaba el casamiento, ahora llevaba doce años casado y aún me sentía como un amante afortunado.

—Hola, Torre de Control Los Angeles —dije al

micrófono –. Aquí Martín Avemarina Uno Cuatro Bravo, con ustedes desde siete mil cinco para tres mil cinco, rumbo al sur hacia Santa Mónica.

En la intimidad llamábamos Gruñón a nuestro hidroavión, pero ante los controles de tránsito aéreo dábamos el nombre oficial.

¿Por qué somos tan afortunados?, pensé; llevamos una vida que, cuando niños, tomábamos por sueños. En menos de medio siglo de desafíos, aprendizaje, intentos y errores, cada uno de nosotros ha salido trabajosamente de los malos tiempos para lograr un presente más encantador de lo que habíamos soñado.

– Martín Uno Cuatro Bravo está en contacto de radar – dijo la voz en nuestros auriculares.

– Hay tránsito allá – advirtió Leslie –. Y allá.

– Los tengo a la vista.

La miré también a ella, actriz convertida en compañera de aventuras: pelo dorado envuelto a las suaves curvas de la cara, reflejando el sol y la sombra; ojos glaucos muy dedicados al trabajo de escrutar el cielo a nuestro alrededor. ¡Qué adorable cara había construido esa mente!

– Martín Uno Cuatro Bravo – dijo Control Los Angeles –. Emita señal cuatro seis cuatro cinco.

¿Cuáles eran las posibilides de que nos encontráramos esa notable mujer y yo, de que nuestros senderos se encontraran y coincidieran como lo habían hecho? ¿Cuáles eran las posibilidades de que dejáramos de ser desconocidos para convertirnos en almas gemelas?

Ahora volábamos juntos a Spring Hill, a un congreso de investigación que explora los límites del pensamiento creativo: ciencia y conciencia, guerra y paz, el futuro de un planeta.

– ¿Eso no era para nosotros? – dijo ella.

– Tienes razón – repliqué –. ¿Qué número dijeron?

Ella se volvió a mirarme, los ojos llenos de diversión.

– ¿No te acuerdas?

– Cuatro seis cuatro cinco.

– Eso – dijo –. ¿Qué harías sin mí?

Fueron las últimas palabras que oí antes de que el mundo cambiara.

2

El transpondedor de radar es una caja negra en el tablero de instrumentos del anfibio, con ventanillas que muestran un código de cuatro números. Cuando ponemos números en esas ventanillas, en cuartos oscuros situados a kilómetros de distancia se nos identifica: número de avión, rumbo, altitud, velocidad; todo lo que interesa a los del control de tránsito aéreo, en sus verdes talleres de radar.

Esa tarde, tal vez por diezmilésima vez en mi carrera de piloto, alargué la mano para cambiar esos números en sus ventanillas. *Cuatro* en la primera, *seis* en la segunda, *cuatro* en la siguiente, *cinco* en la última. Mientras mantenía la vista baja, fija en esa tarea, percibí un extraño zumbido que se inició en *do* bajo y fue ascendiendo por la escala hasta volverse inaudible; después, un *juomp*, como si nos hubiera alcanzado una fuerte corriente de aire ascendente, y un crepitante destello de luz de ámbar en la cabina.

Leslie gritó:

–¡RICHARD!

Giré bruscamente la cabeza para mirarla a la cara. La boca abierta, los ojos dilatados.

–Un poco de turbulencia, queridita –dije–; un poco de...

En ese momento pude ver con mis propios ojos y me interrumpí en medio de la frase.

Los Angeles había desaparecido.

Desaparecidos estaban la ciudad, allá adelante, ancha como el horizonte; las montañas que la rodeaban; el velo de neblina de ciento cincuenta kilómetros.

ESFUMADOS.

El cielo había tomado el color azul de las flores silvestres: intenso, fresco, frío. Allá abajo no había autopistas, tejados y centros comerciales, sino un mar sin interrupciones, espejo del cielo. Azul de pensamiento, ese mar, que no tenía la profundidad del océano en su parte media, sino bajíos por doquier, como si hubiera arena de cobalto a una braza de profundidad, un diseño de platas y oros.

–¿Dónde está Los Angeles? –dije–. ¿Ves...? ¡Dime qué ves!

–¡Agua! ¡Estamos sobre el océano! –exclamó ella–. Richie, ¿qué pasó?

–¡No lo sé! –respondí, todo confusión vacua.

Verifiqué el tablero de instrumentos del motor; todos los indicadores marcaban lo que correspondía. La velocidad aerodinámica no había cambiado; el rumbo seguía siendo de 142 grados en la brújula giroscópica. Pero ahora la brújula magnética giraba ociosamente en su caja, como si hubieran dejado de importarle el norte y el sur.

Leslie probó llaves y oprimió interruptores.

–Las radios de navegación no funcionan –dijo, con el miedo atenaceándole la garganta–. Tienen potencia, pero no operan...

Sin duda. Los dispositivos de navegación mostraban líneas en blanco y banderillas en OFF. El tablero loránico presentaba un dato que nunca habíamos visto: SEÑAL PERDIDA.

Nuestras mentes también quedaron en blanco. Atónitos, lo miramos fijamente por un momento.

—¿Viste algo antes de que... cambiara? —pregunté.

—No —dijo Leslie—. ¡Sí! Hubo una especie de silbido. ¿Lo oíste? Después, un destello de luz amarilla, un... una onda de impacto a nuestro alrededor... ¡y entonces desapareció, junto con todo lo demás! *¿Dónde estamos?*

Se lo resumí lo mejor que pude:

—El avión marcha bien, exceptuando el loran y las radios de navegación. Pero la brújula magnética ha fallado... ¡El único instrumento de un avión que nunca puede fallar ha fallado! No sé dónde estamos.

—¿Control Los Angeles? —sugirió ella, súbitamente.

—¡Bien! —Oprimí el botón del micrófono. —Hola, Control Los Angeles, Martín Uno Cuatro Bravo.

Bajé la vista, esperando la respuesta. Bajo el agua, la arena estaba torneada en una vasta matriz retorcida, como si allá corrieran arremolinados ríos de luz, arroyuelos que se reunieran en innumerables tributarios, todos conectados y reverberando a un par de metros de la superficie.

—Hola, Control Los Angeles —repetí—, aquí Martín Anfibio Uno Cuatro Bravo. ¿Cómo me reciben?

Subí el volumen; había estática en el altavoz de la cabina. La radio funcionaba, pero nadie hablaba por ella.

—Hola, cualquier estación que reciba a Martín Avemarina Uno Cuatro Bravo. Responda por esta frecuencia.

Ruido blanco. Ni una palabra.

—Me estoy quedando sin ideas —confesé.

Por instinto urgí al avión a ascender, en busca de una vista más amplia, con la esperanza de que la altura nos ayudaría a encontrar alguna pista del mundo que habíamos perdido.

En pocos minutos descubrimos algunos hechos extraños: por mucho que ascendiéramos, el altímetro no se alteraba; el aire no estaba más enrarecido por la altitud. Cuando calculé que estaríamos a tres mil metros, el instrumento aún marcaba el nivel del mar.

El panorama tampoco se alteraba: millas y millas de bajíos caleidoscópicos, colores interminables, esquemas que nunca se repetían. El horizonte era igual por doquier: ni montañas ni islas. No había sol, ni nubes, ni barcos, ni seres vivientes.

Leslie dio un golpecito al indicador de combustible.

—Se diría que no estamos consumiendo nada —comentó—. ¿Es posible?

—Lo más probable es que el flotador se haya atascado.

El motor funcionaba más lento o más rápido según yo moviera el acelerador, pero nuestro indicador de combustible se había petrificado una pizca por debajo del medio tanque.

—Sólo eso faltaba —le dije, meneando la cabeza—. Que también fallara el indicador de combustible. Probablemente nos queden dos horas de vuelo, pero preferiría economizar lo que tenemos.

Ella estudió el horizonte vacío.

—¿Dónde aterrizaremos? —preguntó.

—¿Acaso importa?

El mar lanzaba hacia arriba sus colores de gloria, desconcertándonos con sus esquemas.

Deslicé el acelerador hacia atrás y el barco volador se asentó en un largo planeo. Mientras descendíamos observamos aquel espectral paisaje marino. Dos de los senderos refulgían, serpenteando primero por separado, después en sentido paralelo, para unirse finalmente. De los dos partían otros miles, como ramas en un bosque de sauces.

Hay un motivo para esto, pensé. Algo trazó esas líneas. ¿Eran senderos? ¿Caminos de lava? ¿Rutas subacuáticas?

Leslie me tomó la mano.

—Richie —dijo, suave y triste—, ¿no te parece que estamos muertos? Tal vez chocamos con algo en el aire o algo chocó contra nosotros a tanta velocidad que no nos dimos cuenta.

En la familia, el experto sobre la muerte soy yo, pero ni siquiera se me había ocurrido... ¿Y si ella tenía razón? Pero en ese caso, ¿qué hacía Gruñón con nosotros? De cuanto he leído sobre la muerte, nada dice que no cambie siquiera la presión de aceite.

—¡Esto no puede ser la muerte! —dije—. Los libros dicen que, cuando morimos, hay un túnel, luz, un amor increíble, gente que nos sale al encuentro... Si nos tomamos el trabajo de morir juntos, los dos al mismo tiempo, ¿no crees que ellos se las habrían arreglado para estar esperándonos?

—Tal vez los libros se equivocan —dijo ella.

Descendimos en silencio, abatidos por la tristeza. ¿Cómo era posible que el regocijo y la promesa de nuestras dos vidas hubieran terminado tan de pronto?

—¿Te sientes muerto? —preguntó ella.

—No.

—Yo tampoco.

Volamos a baja altura por sobre los canales paralelos, atentos a cualquier formación de coral, a cualquier tronco flotante antes de acuatizar. Aun cuando se está muerto, uno trata de no hacer pedazos su avión descendiendo sobre alguna roca.

—¡Qué manera tonta de terminar una vida! —suspiró Leslie—. Ni siquiera sabemos qué pasó, cómo morimos.

—¡La luz dorada, Leslie, la onda de choque! ¿Pudo haber sido una explosión nuclear? ¿Acaso fuimos los primeros en morir en la Tercera Guerra Mundial?

Ella quedó pensativa.

—No, no lo creo. Eso no venía hacia nosotros: se alejaba. Además, habríamos sentido algo.

Volamos en silencio. Tristes. Muy tristes.

—¡No es justo! —protestó Leslie—. La vida se había vuelto tan hermosa... Trabajamos tanto, superamos tantos problemas... Apenas empezábamos a pasarla bien.

Suspiré.

—Bueno, si morimos, hemos muerto juntos. Esa parte de nuestros planes se cumplió.

—Se supone que la vida pasa frente a una en un instante —dijo ella—. ¿Viste pasar tu vida?

—Todavía no —dije—. ¿Y tú?

—No. Y dicen que todo se vuelve negro. ¡Eso también está equivocado!

—¿Es posible que tantos libros, que *nosotros mismos* nos equivoquemos tanto? ¿Recuerdas las noches en que nos salíamos del cuerpo? La muerte debería ser así, sólo que continuaríamos afuera en vez de regresar por la mañana.

Yo siempre había pensado que la muerte tendría sentido, que sería una oportunidad racional y creativa de lograr una nueva comprensión, una alegre libertad con respecto a los límites de la materia, una aventura más allá de los muros de las torpes convicciones. Nada nos había advertido que morir era volar sobre un infinito océano en tecnicolor.

Al menos podíamos descender. No había rocas, algas ni cardúmenes. El agua estaba calma y clara; el viento apenas rizaba la superficie.

Leslie me señaló aquellos dos senderos refulgentes.

—Se diría que esos dos son amigos —dijo—: siempre juntos.

—Tal vez sean pistas —sugerí—. Me parece que lo

mejor es descender sobre ellos. Posémonos justo donde se unen, ¿te parece bien? ¿Lista para acuatizar?

—Creo que sí —dijo ella.

Miré por las ventanillas laterales, verificando nuestro tren de aterrizaje por partida doble.

—La mayor izquierda está subida —dije—; la del morro, subida; la mayor derecha, subida. Todas las ruedas están subidas para acuatizaje; los flaps están bajados...

Iniciamos el último giro lento y el mar se inclinó graciosamente, cámara lenta, para salirnos al encuentro. Flotamos por un largo instante, a algunos centímetros de la superficie; reflejos de color pastel salpicaban el casco blanco.

La quilla rozó las ondulaciones de la superficie y el hidroavión se convirtió en lancha de carrera, lanzada en una nube de llovizna. El susurro del motor se esfumó en el torrente de agua, en tanto yo desactivaba el acelerador para aminorar la velocidad.

Luego el agua desapareció, el avión desapareció. A nuestro alrededor, borroneados, se veían tejados, bandas de tejas rojas y palmeras, el muro de un gran edificio con ventanas bien hacia adelante.

—¡CUIDADO!

Un segundo después nos deteníamos dentro de ese edificio, mareados, pero indemnes, juntos y de pie en un largo corredor. Alargué la mano hacia mi esposa y la abracé.

—¿Estás bien? —preguntamos los dos a un tiempo, sin aliento.

—¡Sí! —dijimos—. ¡Ni un rasguño! ¿Y tú? ¡Sí!

No había vidrio estrellado en la ventana, al final del corredor, ni agujero en la pared a través de la cual habíamos pasado. Nadie a la vista, ni un ruido en todo el edificio.

Estallé de frustración.

—¿Qué diablos está pasando?

—Richie —dijo Leslie, en voz baja, con los ojos

grandes de extrañeza –, este lugar me resulta conocido. ¡Ya hemos estado aquí!

Miré a mi alrededor. Un corredor con muchas puertas, alfombra de color rojo ladrillo, puertas de ascensor frente a nosotros, palmeras en tiestos. La ventana daba a tejados llenos de sol; más allá, colinas doradas, de poca altura, y el neblinoso azul de la tarde.

–Es... parece un hotel. No recuerdo ningún hotel...

Se oyó una suave señal sónica; una flecha verde se encendió por sobre las puertas del ascensor.

Ante nuestra mirada, las puertas se abrieron con un ronroneo. Adentro había un hombre robusto y anguloso y una encantadora mujer, vestida con una camisa de trabajo, ya desteñida, pantalones y chaqueta marinera y una gorra de tono rojizo.

Oí que mi esposa, a mi lado, dejaba escapar una exclamación ahogada; su cuerpo se puso tenso. Del ascensor bajaban el hombre y la mujer que nosotros habíamos sido diecisiete años antes, los dos que éramos el día de nuestro primer encuentro.

3

Quedamos petrificados, enmudecidos, boquiabiertos.

La Leslie más joven abandonó el ascensor sin echar una sola mirada al Richard que yo había sido; después, casi corriendo, se encaminó hacia su cuarto.

La urgencia se impuso al asombro. No podíamos permitir que se fueran.

—¡Leslie! ¡Espera! —llamó mi Leslie.

La joven se detuvo y se volvió, esperando encontrarse con una amiga, pero no pareció reconocernos. Seguramente sólo veía nuestro contorno, puesto que teníamos la ventana atrás.

—Leslie —dijo mi esposa, caminando hacia ella—, ¿puedes concederme un minuto?

Mientras tanto, el Richard más joven pasó junto a nosotros hacia su habitación. El hecho de que la mujer del ascensor se hubiera encontrado con amigos no era asunto suyo.

Y aunque nosotros no sepamos qué está pasando, pensé, eso no impide que seamos los que debemos hacernos cargo de todo. Era como arrear polluelos: esos dos iban en direcciones opuestas y nosotros sabíamos que su destino era pasar juntos el resto de la vida.

Confiando en que Leslie alcanzaría a su yo anterior, troté detrás del joven.

—Disculpa —dije desde atrás—. ¿Richard?

Se volvió, tanto por el sonido de mi voz como por las palabras; se volvió con curiosidad. Yo recordaba esa chaqueta deportiva color camello. Tenía una desgarradura en el forro que yo había cosido diez o doce veces, sin que sirviera para nada: la seda o lo que fuere insistía en deshilacharse a partir del zurcido.

—¿Hace falta que me presente? —pregunté.

Me miró; la amabilidad controlada se convirtió en ojos como platillos.

—¡Qué...!

—Mira —dije, con tanta calma como pude—, nosotros tampoco lo entendemos. Ibamos en avión cuando nos atacó esta cosa extraña y...

—¿Eres...?

Se le apagó la voz; así quedó, mirándome fijamente. Para él era todo un golpe, por supuesto, pero me sentí extrañamente irritado con ese tipo. ¿Quién sabía cuánto tiempo podríamos pasar juntos? Minutos o menos, horas o menos, y él quería malgastarlo rehusando creer lo que debería haberle sido obvio.

—La respuesta es sí —dije—. Soy el hombre que vas a ser dentro de algunos años.

El asombro se convirtió en suspicacia.

—¿Cuál era el apodo que me daba mi madre? —preguntó, entornando los ojos.

Se lo dije, con un suspiro.

—¿Cómo se llamaba mi perro, el que tenía cuando niño, y qué clase de fruta comía?

—¡Vamos, Richard! —protesté—. Lady no era perro sino perra. Y comía albaricoques. Tenías un telescopio newtoniano casero, de quince centímetros, con una desportilladura en el espejo, hecha por un par de pinzas que se te cayeron al trabajar con la araña, con el

24

tubo hacia arriba en vez de estar hacia abajo; en la cerca, junto a la ventana de tu cuarto, había una tabla secreta, una tabla con bisagras por las que podías escurrirte cuando no querías usar el portón...

—De acuerdo —dijo, mirándome como si yo fuera un acto de magia—. Supongo que podrías seguir.

—Indefinidamente. No puedes formular una pregunta sobre ti mismo que yo no pueda responder, viejo. ¡Y tengo diecisiete años más de respuestas que tú de preguntas!

Me miró con fijeza. Un muchachito, pensé, sin una sola cana. Unas cuantas canas le sentarán.

—¿Quieres perder el tiempo del que disponemos charlando en el corredor? ¿Sabes que en ese ascensor acabas de conocer a la mujer que... a la persona más importante de tu vida? Y ni siquiera lo sabes.

—¿Ella? —Miró a lo largo del corredor.— ¡Pero si es hermosa! ¿Cómo quieres que me...?

—No lo entiendo, pero le resultas atractivo. Te doy mi palabra.

—Bueno, te creo —dijo—. ¡Te creo! —Sacó una llave del bolsillo de su chaqueta.— Pasa.

Nada tenía sentido, pero todo concordaba. Aquello no era Los Angeles, sino Carmel, California, octubre de 1972, tercer piso del Holiday Inn. Antes de que él hiciera girar la llave, supe que el cuarto estaría sembrado de gaviotas que volaban por control remoto, construidas para una película que habíamos estado filmando en la playa. Algunos de esos modelos volaban en encantadoras acrobacias; otros daban tumbos en el aire y se estrellaban. Yo había arrastrado las ruinas a mi cuarto para repararlas.

—Voy a buscar a Leslie —dije—. Trata de ordenar un poco esto, ¿quieres?

—¿A Leslie?

—Es... bueno, hay dos Leslie. Una es la mujer con la que viajaste en el ascensor, lamentando no saber cómo saludarla. La otra, tan hermosa, es la misma, pero diecisiete años después: mi esposa.

—¡No puedo creerlo!

—¿Por qué no limpias un poquito el cuarto? —sugerí—. En seguida volveremos.

Encontré a Leslie en el vestíbulo, a pocas puertas de distancia; de espaldas a mí, conversaba con su yo más joven. Al acercarme a ella, una camarera salió del cuarto vecino, rumbo al ascensor, empujando un carrito de cuatro ruedas cargado de ropa sucia. Sin prestar atencion, empujó aquella cosa pesada hacia mi esposa.

—¡*Cuidado!* —grité.

Demasiado tarde. Leslie giró ante mi grito, pero el carrito la golpeó en el costado y siguió a través de su cuerpo como si ella fuera de aire; la camarera pasó caminando a través de ella y saludó a la más joven con una sonrisa.

—¡Eh! —dijo la joven Leslie, alarmada.

—Eh —respondió la camarera—, buen día.

Corrí hacia Leslie.

—¿Estás bien?

—Muy bien —aseguró ella—. Creo que no me... —Se volvió hacia la joven.— Richard, quiero presentarte a Leslie Parrish. Leslie, te presento a mi esposo, Richard Bach.

Sonreí ante lo formal de su presentación.

—Hola —saludé a la joven—. ¿Me ves con claridad?

Ella rió, con un chisporroteo en los ojos.

—¿Se supone que eres borroso? —Ni espanto ni desconfianza. La joven Leslie parecía haber tomado todo eso por un sueño y estaba decidida a disfrutarlo.

—Quería saber, no más —dije—. Después de lo que pasó con ese carrito, no estoy seguro de que formemos parte de este mundo. Apostaría a que...

Alargué la mano hacia la pared, sospechando que mis dedos pasarían a través del yeso. Así fue: la hundí en el empapelado hasta la muñeca. La joven Leslie reía, encantada.

—Creo que aquí somos fantasmas —dije.

Por eso no morimos a la llegada, pensé, al atravesar la pared del hotel.

¡Con qué prontitud nos adaptamos a situaciones increíbles! Un resbalón en el muelle y de inmediato sabemos que estamos sumergidos en agua: nos movemos de otro modo, respiramos de otro modo; en medio segundo estamos adaptados, aunque no nos guste el chapuzón.

Lo mismo ocurría con eso. Estábamos sumergidos en nuestro propio pasado, sobresaltados por la caída, y nos manejábamos lo mejor posible en aquel lugar extraño. Y lo mejor era reunir a esos dos, salvarlos de perder los años que nosotros habíamos perdido antes de comprender que éramos almas gemelas.

Resultaba extraño conversar con ella, como si volviéramos a encontrarnos por primera vez. Qué extraño, pensé. ¡Es Leslie, pero no tengo nada vivido con ella!

—Quizás, en vez de estarnos aquí... —Señalé corredor abajo.— Richard nos ha invitado a su cuarto. Allí podríamos conversar un poco y aclarar las cosas, sin carritos que pasen a través de nosotros.

Ella echó un vistazo al espejo del vestíbulo.

—No estaba preparada para que me presentaran a alguien —dijo—. Estoy hecha un espantajo.

Y se acomodó unos largos mechones de pelo rubio bajo los bordes de la gorra.

Miré a mi esposa; no pudimos menos que reír.

—¡Bien! —dije—. Esa fue nuestra última prueba. Si Leslie Parrish se mira al espejo y dice que luce bien, no es la verdadera Leslie Parrish.

Encabecé la marcha hasta la puerta de Richard y toqué sin pensar. Mis nudillos desaparecieron en la madera sin ruido alguno, por supuesto.

–Será mejor que llames tú –dije a la joven Leslie.

Ella lo hizo con un ritmo alegre, demostrando que sus toques no tenían sólo sonido, sino también música.

La puerta se abrió de inmediato. Richard sostenía una gaviota de madera balsa de un metro de envergadura, por la punta de un ala.

–Hola –dije–. Richard, quiero presentarte a Leslie Parrish, tu futura esposa. Leslie, éste es Richard Bach, el que va a ser tu marido.

El apoyó la gaviota contra la pared y estrechó formalmente la mano a la joven; su cara, al mirarla, era una mezcla curiosa de ansiedad y temor. El chisporroteo divertido seguía en los ojos que la joven Leslie levantó hacia él, al estrecharle la mano con toda la gravedad posible.

–Muy feliz de conocerte –dijo.

–Y ésta, Richard, es mi esposa, Leslie Parrish-Bach.

–Hola –dijo él, saludando con la cabeza.

Se estuvo quieto por un largo instante, paseando la mirada de una Leslie a la otra, de la otra a mí, como si a su puerta hubiera llegado una banda de bromistas en Noche de Brujas.

–Pasen –invitó, por fin–. La habitación es un desastre...

No mentía. Si la había ordenado, no se notaba. Aves de madera, módulos de control remoto, baterías, láminas de madera balsa, porquerías en los antepechos de las ventanas y, por doquier, olor a pintura para modelos de aviones.

Había dispuesto cuatro vasos de agua en la mesa ratona, tres bolsitas de copos de maíz y una lata de cacahuetes. Si nuestras manos pasan a través de las paredes, pensé, no creo que tengamos mucha suerte con los copos de maíz.

–Para tranquilizarla, señorita Parrish –comenzó

él–, me casé una vez, pero no pienso volver a hacerlo. No comprendo qué hacen aquí estas personas, pero le aseguro que no tengo la menor intención de intentar ningún acercamiento...

–Oh, Dios –dijo mi esposa, *sotto voce*, mirando el cielo raso–. El discurso anticonyugal.

–Por favor, wookie –susurré–. Es un buen tipo, pero está asustado. No le...

–¿Wookie? –dijo la joven Leslie.

–Disculpa –manifesté–. Es un apodo, tomado de una película que vimos hace... hará mucho tiempo.

Empezaba a darme cuenta de que teníamos por delante una conversación muy difícil.

–Ante todo, lo principal –dijo mi esposa, organizando lo increíble–. Richard y yo no sabemos cómo hemos llegado aquí, por cuánto tiempo vamos a quedarnos ni adónde iremos. Lo único que sabemos es quiénes sois; conocemos vuestro pasado y vuestro futuro, al menos por los próximos diecisiete años.

–Os enamoraréis –dije–. Ya estáis enamorados, sólo que no sabéis que cada uno de vosotros es la persona que el otro amaría si os conocierais. En estos momentos pensáis que no hay en el mundo nadie capaz de comprenderos o de amaros. Pero hay alguien, ¡y aquí estáis!

La joven Leslie, sentada en el suelo, se reclinó contra el sofá y disimuló una sonrisa, recogiendo las rodillas hasta el mentón.

–¿Tenemos algo que ver con este amor nuestro o es el destino indetenible?

–Buena pregunta –reconoció Leslie–. Permitidnos contaros lo que recordamos, lo que nos ocurrió a nosotros. –Hizo una pausa, desconcertada por lo que iba a decir.– Después tendréis que hacer lo que os parezca correcto.

Lo que recordamos, pensé. Recuerdo este lugar, recuerdo haber estado con Leslie en el ascensor, pero sin llegar a conocerla por muchos años. No recuerdo haberme reunido aquí con ninguna Leslie futura ni que algún Richard futuro me indicara ordenar mi habitación.

El joven Richard, sentado en una silla de escritorio, observaba a la joven Leslie. Su belleza física era, para él, casi dolorosa. Las mujeres hermosas lo tornaban tímido; ni siquiera sospechaba que ella era tan tímida como él.

—Cuando nos encontramos, las apariencias nos bloquearon; otras personas impidieron que tratáramos, siquiera, de conocernos —dijo Leslie.

—Separados, cometimos errores que jamás habríamos cometido juntos —agregué—. Pero ahora que vosotros sabéis... ¿no os dais cuenta? ¡No es necesario que cometáis errores!

—Cuando volvimos a encontrarnos, años después —prosiguió Leslie—, sólo nos quedó recoger los pedazos, con la esperanza de poder aún construir una vida bella como la que imaginábamos que habríamos podido edificar años antes. Si nos hubiéramos encontrado antes, no tendríamos que haber pasado por toda esa *recuperación*. Claro que nos habíamos encontrado antes, en el ascensor, como vosotros ahora. Pero no tuvimos el valor ni la sagacidad suficientes... —Meneó la cabeza.— No teníamos lo que nos hacía falta para saber qué podíamos ser el uno para la otra.

—Por eso nos parece que cometéis una locura al no caer ahora el uno en brazos de la otra —proseguí—, al no agradecer a Dios por haberos encontrado y dedicaros a cambiar vuestras vidas para estar juntos.

Nuestros yo jóvenes se echaron una mutua mirada y apartaron los ojos con celeridad.

—Nosotros perdimos mucho tiempo cuando éramos vosotros —dije—. Malgastamos muchas oportunidades de alejarnos de los desastres y de huir.

—¿Desastres? —repitió Richard.

—Desastres —le confirmé—. En este momento estás en medio de varios, aunque todavía no lo sabes.

—Tú los superaste —observó—. ¿Crees ser el único capaz de resolver problemas? ¿Tienes todas las respuestas?

¿Por qué se ponía tan a la defensiva? Me paseé junto a la mesa, mirándolo.

—Tenemos algunas respuestas, pero lo importante a saber, para ti, es que *ella* tiene la mayor parte, y que tú también tienes respuestas para ella. ¡Juntos, no hay nada que pueda deteneros!

—¿Detenernos en qué sentido? —dijo la joven Leslie, cautivada por lo intenso de mis sentimientos y sospechando, por fin, que quizá eso no fuera un sueño.

—En cuanto a vivir vuestro amor más elevado —explicó mi esposa— y alcanzar una vida en común tan maravillosa que, separados, no podéis imaginarla.

Un regalo como el que les estábamos ofreciendo sólo se recibe una vez cada jamás. ¿Cómo podían esos dos resistírsele? ¿Con cuánta frecuencia podemos conversar con las personas que vamos a ser, con quienes conocen todos los errores que vamos a cometer? Ellos tenían la oportunidad que todo el mundo desea y nadie consigue.

Mi esposa se sentó en el suelo, junto a Leslie, la mayor de dos gemelas.

—En la intimidad de este cuarto, entre nosotros, necesitamos deciros: a pesar de todos vuestros errores, cada uno de vosotros es una persona extraordinaria. Os habéis aferrado a vuestra noción de lo correcto, a vuestra ética interior, aun cuando ha sido difícil o peligroso, aunque otros os hayan considerado extraños. Pero lo mismo que os hace extraños también os aísla. Os torna solitarios. Y también os hace perfectos el uno para la otra.

Escuchaban con tanta atención que yo no pude interpretar sus expresiones.

—¿Ella tiene razón? —les pregunté—. Enviadnos al demonio si esto es una tontería. Si no es verdad, nos

31

iremos. Tenemos nuestro propio problemita a solucionar...

—¡No! —dijeron ellos, a la par.

—Nos habéis dicho una cosa, cuanto menos —observó la joven Leslie—: ¡que viviremos diecisiete años más! Sin guerra, sin que acabe el mundo. Pero... tal vez eso es una pregunta. ¿Fuimos nosotros los que sobrevivimos por ese tiempo o fuisteis vosotros?

—¿Acaso creéis que nosotros sabemos lo que está pasando? —dije—. ¡No! ¡Ni siquiera sabemos si estamos vivos o muertos! Sólo que de algún modo es posible, sin que caiga toda la maquinaria del universo, que nosotros, vuestro futuro, nos reunamos con vosotros, nuestro pasado.

—Queremos pediros algo —dijo Leslie.

Su yo más joven levantó la vista: los mismos ojos bellos.

—¿Qué?

—Nosotros somos quienes os siguen, los que pagan por vuestros errores y se benefician con vuestros esfuerzos. Somos los que se enorgullecen de vuestras mejores decisiones y se entristecen por las peores. Somos los mejores amigos que tenéis, aparte de teneros el uno a la otra. ¡Pase lo que pase, no nos olvidéis, no nos restéis valor!

—¿Sabéis qué hemos aprendido? —dije—. El consuelo a breve plazo para los problemas a largo plazo no es lo que estáis buscando. El camino fácil no es el camino fácil. —Me volví hacia mi yo menor.— ¿Sabes cuántas oportunidades de ese tipo se te presentarán entre tu tiempo y el nuestro?

—¿Montones?

—Montones —asentí.

—¿Cómo se evitan las decisiones equivocadas? —preguntó él—. Tengo la sensación de que ya he optado por el camino fácil un par de veces.

—Es de esperar —dije—. Las decisiones equivo-

32

cadas son tan importantes como las correctas. A veces, más importantes aún.

—Pero no son muy cómodas —observó.

—No, pero son...

—¿Vosotros sois nuestro único futuro?

La joven Leslie había hablado súbitamente, interrumpiéndome con la importancia de su pregunta. Sin saber por qué, experimenté un arrebato de miedo al oírla.

—¿Sois vosotros nuestro único pasado? —respondió mi esposa.

—Por supuesto —dijo Richard.

—¡No! —Lo miré, atónito.— ¡Por supuesto que no! Por eso nosotros no recordamos haber conocido a nadie de nuestro futuro en el Holiday Inn de Carmel. No lo recordamos porque *a nosotros* no nos pasó y a vosotros sí.

Las implicancias atravesaron como rayos láser a todos los presentes. Allí estábamos nosotros, brindando a esos dos lo mejor que podíamos, pero ¿eran ellos acaso sólo uno de nuestros pasados, uno de los caminos que conducían a quienes éramos? Por un momento, nosotros representamos para ellos la seguridad, puesto que confirmábamos la supervivencia. Pero ¿era posible que no fuéramos su futuro inevitable? ¿Habría acaso otras elecciones para ellos, giros diferentes de los que nosotros habíamos tomado?

—No importa que seamos vuestro futuro o no —dijo mi esposa—. No volváis la espalda al amor...

Se interrumpió en medio de la frase para mirarme, sobresaltada. La habitación temblaba; un rumor sordo recorría el edificio.

—¿Un terremoto? —dije.

—No, no hay ningún terremoto —dijo la joven Leslie—. Yo no siento nada. ¿Y tú, Richard?

El sacudió la cabeza.

—Nada.

Para nosotros, todo el cuarto se estremecía en

ondas de baja frecuencia, más veloces a cada instante.

Mi esposa se levantó bruscamente, asustada. Había sobrevivido a dos grandes terremotos y no tenía muchas ganas de enfrentarse al tercero. Le tomé la mano.

–Los mortales de esta habitación no sienten ningún terremoto, wookie, y a los fantasmas no nos daña el yeso desprendido...

Y entonces todo aquello se estremeció como el azul celeste en un batidor de pintura; las paredes se borronearon y el rugido se hizo más potente que antes. Los nosotros más jóvenes quedaron confundidos por lo que estaba ocurriendo con Leslie y conmigo. La única cosa sólida era mi esposa, a mi lado, resistiendo y gritando a aquellos dos:

–¡Seguid... juntos!

Un momento después, el cuarto de hotel desapareció con una sacudida, tragado por el rugir de motores y el torrente de agua. La llovizna voló hacia atrás, arrebatada del vidrio por el viento. Allí estábamos, en la cabina de nuestro hidroavión una vez más, con los instrumentos temblando en las líneas rojas, el mar poco profundo golpeteando secamente bajo nosotros, el Avemarina ya liviano sobre el casco, listo para volar.

Leslie chilló de alivio y dio una palmadita amorosa al vidrio antideslumbrante del hidroavión.

–¡Oh, Gruñón, cuánto me alegro de verte!

Atraje la palanca de mandos hacia mí y, a los pocos segundos, nuestro pequeño barco se desprendía del agua, dejando un velo de llovizna; aquellas intrincadas líneas en el fondo del mar se alejaron hacia abajo. ¡Qué a salvo nos sentíamos otra vez en el aire!

–¡Fue el despegue de Gruñón! –dije–. Gruñón nos sacó de Carmel. Pero ¿cómo supones que se operó el acelerador? ¿Qué puso en marcha el despegue?

La respuesta llegó desde atrás, antes de que Leslie pudiera decir nada:

–Fui yo.

Giramos al mismo tiempo, atontados por la sorpresa. De súbito, a noventa metros de altura por sobre un mundo que no conocíamos, teníamos un pasajero a bordo.

4

De inmediato mi mano se preparó para impulsar hacia adelante la palanca de mandos, a fin de inmovilizar a la intrusa contra la parte alta de la cabina.

–¡No os asustéis! –dijo ella–. ¡Soy amiga! –Y se echó a reír.– De mí es de quien menos debéis temer.

Mi mano se aflojó un poquito. Leslie la miró con fijeza, diciendo:

–¿Quién...?

Nuestra pasajera vestía blue jeans y una blusa a cuadros; su piel era oscura y tersa; los ojos, negros como la medianoche; el pelo, moreno con tintes azulados, le llegaba a los hombros.

–Me llamo Pye –dijo–. Soy a vosotros lo que vosotros sois a aquellos que dejasteis en Carmel. –Se encogió de hombros, corrigiéndose–: Por varios miles.

Volví a poner el motor a velocidad de crucero y el ruido se perdió.

–¿Cómo hiciste...? –pregunté–. ¿Qué haces aquí?

–Se me ocurrió que podíais estar preocupados –dijo–. He venido a ayudar.

–¿Por qué dijiste "por varios miles"? –inquirió Leslie–. ¿Eres yo venida del futuro?

Ella asintió, inclinándose hacia adelante al hablar.

–Soy vosotros dos al mismo tiempo. Pero no del futuro, sino de... –Entonó una curiosa nota doble.– ...un ahora alternativo.

Me moría por saber cómo era posible que ella fuera nosotros dos al mismo tiempo y qué era un ahora alternativo, pero por sobre todo quería saber qué estaba pasando.

–¿Dónde estamos? –le pregunté–. ¿Sabes qué nos mató?

Ella sonrió, sacudiendo la cabeza.

–¿Qué los mató? ¿Y por qué pensáis que habéis muerto?

–No sé –reconocí–. Estábamos descendiendo hacia Los Angeles; de pronto se oyó un fuerte zumbido y la ciudad desapareció. Eso es todo. Lo que era civilización se evapora en medio segundo y nos encontramos solos, por sobre algún océano que no existe en el planeta Tierra. Y cuando aterrizamos somos fantasmas frente a nuestro propio pasado, frente a los que éramos cuando nos conocimos, y nadie puede vernos, aparte de ellos; la gente pasa a través de nosotros con carritos de ropa sucia y nuestros brazos atraviesan las paredes... –Me encogí de hombros, desolado.– Descontando eso, no se me ocurre por qué pensamos que hemos muerto.

Ella se echó a reír.

–Bueno, pues no habéis muerto.

Mi esposa y yo cambiamos una mirada; sentíamos una oleada de alivio.

38

—En ese caso ¿dónde estamos? —preguntó Leslie—. ¿Qué nos pasó?

—Esto no es tanto un lugar como un punto de perspectiva —dijo Pye—. Probablemente, lo ocurrido se relaciona con la electrónica. —Miró nuestro tablero de instrumentos con el ceño fruncido.— Allí hay transmisores de muy alta frecuencia. Receptor loránico, transponedor, pulsos de radar... Pudo haber sido una interacción. Rayos cósmicos... —Estudió los instrumentos e hizo una pausa.— ¿Hubo un gran destello dorado?

—¡Sí!

—Interesante —dijo ella, con una sonrisita—. Las posibilidades de que ocurra algo así son de una en trillones. —Se mostraba totalmente familiar, cálida y simpática.— No contéis con hacer este viaje con mucha frecuencia.

—Y volver ¿también se da una vez en trillones? —pregunté—. Mañana tenemos un congreso en Los Angeles. ¿Llegaremos a tiempo?

—¿A tiempo? —Se volvió hacia Leslie—. ¿Tienes hambre?

—No.

Hacia mí:

—¿Sed?

—No.

—¿Y por qué suponéis que no hay hambre ni sed?

—Por la excitación —dije yo—. Por la tensión nerviosa.

—¡Por el miedo! —dijo Leslie.

—¿Tenéis miedo? —preguntó Pye.

Leslie lo pensó por un momento y le sonrió.

—Ya no.

Yo no podía decir lo mismo. El cambio no es mi deporte favorito. Pye se volvió hacia mí.

—¿Cuánto combustible estáis usando?

El indicador aún seguía petrificado.

—¡Nada! —exclamé, comprendiendo súbita-

mente−. Gruñón no está consumiendo combustible.
No consumimos combustible porque el combustible, el
hambre y la sed se relacionan con el tiempo y aquí no
hay tiempo.

Pye asintió.

−La velocidad también está relacionada con el
tiempo −señaló Leslie−; sin embargo, nos movemos.

−¿Os movéis? −Pye arqueó las cejas oscuras en
una interrogación dirigida a mí.

−A mí no me mires −pedí−. ¿Nos movemos sólo
en convicción? ¿Nos movemos sólo en...?

Pye me hizo un gesto de aliento que decía "tibio,
tibio", como si estuviéramos jugando a las adivinanzas.

−¿...conciencia?

Se tocó la punta de la nariz, encendiendo una
sonrisa brillante.

−¡Exacto! Tiempo es el nombre que se da al movimiento de la conciencia. Cada acontecimiento que
pueda suceder en el espacio y en el tiempo sucede
ahora, al unísono, simultáneamente. No hay pasado, no
hay futuro: sólo el *ahora*, aunque tengamos que usar un
lenguaje basado en el tiempo para poder entendernos.
Es como... −Buscó una comparación en la parte alta
de la cabina.− Es como la aritmética. En cuanto uno
aprende el sistema, sabe que todos los problemas con
números ya están resueltos. El principio de la aritmética ya sabe la raíz cúbica de seis, pero a uno puede
llevarle lo que llamamos tiempo, algunos segundos,
descubrir cuál ha sido siempre la solución.

La raíz cúbica de ocho es dos, pensé; la raíz cúbica de uno es uno. ¿La raíz cúbica de seis? Algo entre
uno y dos, tirando a más... ¿Uno coma ocho? Y sin
duda alguna, mientras calculaba comprendí que la respuesta había estado esperando desde antes de que yo
me formulara la pregunta.

−¿Todos los acontecimientos? −preguntó Les-
lie−. ¿Todo lo que puede ocurrir *ya ha ocurrido*? ¿No
hay futuro?

—Ni pasado —dijo Pye—, ni tiempo.

Leslie, siempre práctica, estaba exasperada.

—En ese caso, ¿por qué pasamos por todas estas experiencias en este... este tiempo de mentirillas, si ya todo está hecho? *¿A qué molestarse?*

—Lo importante no es que todo esté hecho, sino que tenemos infinitas posibilidades de elección —dijo Pye—. Nuestras eleciones nos llevan a experiencias; con la experiencia comprendemos que no somos las pequeñas criaturas que parecemos ser. Somos expresiones interdimensionales de la vida, espejos del espíritu.

—¿Dónde ocurre todo esto? —pregunté—. ¿Hay en el cielo algún gran depósito, con estantes para todos esos posibles acontecimientos entre los que se puede elegir?

—Un depósito no. No es un lugar, aunque podría pareceros tal —dijo ella—. ¿Dónde pensáis que podría estar?

Meneé la cabeza y me volví hacia Leslie. Ella también hizo un gesto negativo.

Pye preguntó otra vez, con dramatismo:

—¿Dónde?

Mientras nos miraba a los ojos, levantó la mano y señaló hacia abajo.

Bajamos la mirada. Debajo de nosotros, bajo el agua, giraban aquellos infinitos senderos en el fondo del océano.

—¿Los diseños? —dijo Leslie—. ¿Bajo el agua? ¡Oh! ¡Nuestras. eleciones! El diseño representa los senderos que tomamos, los giros que escogimos. Y todos los giros que pudimos haber escogido, los que *hemos* escogido en...

—¿...vidas paralelas? —pregunté, mientras las piezas caían en su sitio—. ¡Vidas alternativas!

El diseño se desparramaba majestuosamente debajo de nosotros. Lo devoramos con los ojos, maravillados.

–Si volamos alto –dije, estremecido por la captación–, tenemos perspectiva. Vemos todas las alternativas, las bifurcaciones, los cruces de rutas. Pero cuanto más bajo volamos, más perspectiva perdemos. Y cuando aterrizamos, nuestras perspectiva de todas las otras alternativas desaparece. Nos concentramos en el detalle: el detalle diario horario di-minuto, olvidadas las vidas alternativas.

–¡Qué bella metáfora habéis elaborado para explorar el quiénes sois! –comentó Pye–. Un esquema bajo el agua infinita. Aunque os sea preciso pilotear vuestro hidroavión hacia un lado u otro para visitar a vuestros yos alternativos, es una herramienta creativa. Y funciona.

–Este mar que tenemos por debajo, entonces –dije–, no es un mar, ¿verdad? En realidad, el diseño no está allí.

–Nada en el espacio-tiempo está realmente allí –dijo ella–. El diseño es una ayuda visual que habéis elaborado; es vuestro modo de comprender las vidas simultáneas. Es una metáfora del vuelo, porque os encanta volar. Cuando aterrizáis, vuestro avión flota por sobre el diseño y vosotros sois observadores, fantasmas en mundos alternativos. Podéis aprender de vuestros otros aspectos sin tomar como real el ambiente que los rodea. Cuando habéis descubierto lo que necesitabais descubrir, os acordáis de vuestro avión y, con sólo impulsar el regulador hacia adelante, ascendéis en el aire para volver a vuestra perspectiva grandiosa.

–¿Nosotros mismos diseñamos este... esquema? –preguntó Leslie.

–Las metáforas para expresar las vidas del espacio-tiempo son tantas como las disciplinas que os fascinen –dijo Pye–. Si os encantara la fotografía, vuestra metáfora podría haberse basado en niveles de enfoque. El enfoque hace que un punto sea nítido y todo lo demás, borroso. Enfocamos una vida y pensamos que no hay otra cosa. Pero los otros aspectos, los borrosos, los que tomamos por sueños, deseos y pudo-haber-sidos, son tan reales como cualquiera. Nosotros elegimos el enfoque.

– ¿Es por eso que nos fascina la física – pregunté –, la mecánica cuántica, la atemporalidad? ¿Nada de eso es posible, pero todo eso es verdad? ¿No hay vidas pasadas ni vidas futuras, pero desciendes a un punto, crees que se mueve y has inventado el tiempo? ¿Nos dejamos involucrar y creemos que ésa es la única vida existente? ¿Es así, Pye?

– Bastante aproximado – dijo ella.

– Entonces podemos seguir volando – dijo Leslie –, más allá del sitio donde dejamos a Richard y a Leslie jóvenes, en Carmel, y aterrizar más adelante, para averiguar si siguieron juntos o no. ¡Podemos ver si aprovecharon esos años que nosotros perdimos!

– Ya lo sabéis – dijo nuestra guía del alter-mundo.

– ¡No! – protesté –. Se nos arrancó...

Pye sonreía.

– Ellos también tienen alternativas. Un aspecto de ellos está asustado y huye de un futuro demasiado pleno de compromisos. Otro llega a la condición de amigos, pero no de amantes; otro llega a la condición de amantes, pero no de amigos; otro se casa y se divorcia; otro decide que cada uno vea en el otro a su alma gemela, se casa y ama por siempre jamás.

– ¡En ese caso somos aquí como turistas! – dije –. No construimos el paisaje; sólo elegimos qué parte deseamos ver.

– Es una bonita manera de expresarlo – dijo Pye.

– Bueno – continué –, supongo que uno vuela a una tajada del diseño, aterriza e impide que su madre conozca a su padre. Si no se conocen, ¿cómo pudo uno haber nacido?

– No, Richie – intervino Leslie –; eso no nos impediría nacer. Nacimos en la parte del diseño donde ellos sí se conocieron, y nada puede alterar esa circunstancia.

—¿No hay nada predeterminado? —inquirí—. ¿No hay destino?

—Claro que hay destino —dijo Pye—, pero el destino no te empuja adonde no quieres ir. Tú eres el que escoge. El destino depende de ti.

—Yo escogería volver a casa, Pye —dije—. ¿Cómo volvemos?

Ella sonrió.

—Volver a casa es tan fácil como bajar de un tronco. Vuestro esquema es psíquico, pero el camino de regreso es espiritual. Orientaos por el amor... —Se interrumpió de súbito.— Perdonad la conferencia. ¿Querríais volver ya?

—Por favor.

—¡No! —exclamó Leslie. Hablaba dirigiéndose a Pye, pero me buscó la mano: su modo de decir "escúchame hasta el final"—. Si he comprendido bien, los que éramos, los que iban volando hacia Los Angeles, están detenidos en el tiempo. Podemos volver a ellos cuando así lo deseemos.

—Por supuesto que podemos —dije—, pero un segundo después viene el estallido del rayo cósmico ¡y aquí estamos otra vez!

—No —dijo Pye—. En cuanto volváis cambia un millón de variables. Cualquiera de ellas impedirá que esto vuelva a ocurrir. ¿Querríais volver?

—No —dijo Leslie, otra vez—. Quiero aprender de esto, Richie, ¡quiero comprender! Si sólo tenemos una posibilidad en trillones y es ésta, ¡tenemos que quedarnos!

—Pye —dije—, si nos quedamos, ¿podemos resultar heridos en algún otro tiempo, podemos lastimarnos a pesar de ser fantasmas?

—Podéis elegir que así sea, si lo deseáis —dijo ella.

—¿Elegirlo?

Me sonaba ominoso. Suelo tomarme las aventuras con calma. Volar en lo absolutamente desconocido no es aventura, sino demencia. ¿Podíamos quedar atrapados en ese esquema de convicción y perder el mundo que teníamos? ¿Y si nos separábamos y jamás volvíamos a reunirnos? Las convicciones pueden ser trampas feroces. Me volví hacia mi esposa, algo nervioso.

—Creo que sería mejor volver, cielito.

—Oh, Richie, ¿de veras quieres dejar pasar esta oportunidad? ¿No es lo que siempre has leído en los libros, la fascinación de toda tu vida, las existencias simultáneas, los futuros alternativos? Piensa en lo que aprenderíamos. ¿No vale la pena correr un poco de peligro?

Suspiré. El pasado de Leslie es todo elecciones valientes en busca de la verdad y los principios. Ella prefería quedarse, por supuesto. Y apelaba al explorador que residía en las márgenes de mi mente.

—Está bien, queridita —dije, al fin.

En el aire pendían, densos, los riesgos subestimados. Me sentí como un aprendiz de piloto en el momento de despegar para practicar giros lentos sin cinturón de seguridad.

—Pye, di, ¿cuántos aspectos nuestros hay? —pregunté.

Ella se echó a reír y miró por la ventanilla hacia el diseño, allá abajo.

—¿Cuántos puedes imaginar? No hay modo de contarlos.

—¿Todo ese esquema es *nosotros*? —exclamó Leslie, atónita—. ¿Hasta donde podemos ver, hasta donde podemos volar, el esquema es *nuestras elecciones*?

Pye asintió.

Aún no hemos comenzado, pensé, y ya es increíble.

—¿Y todos los demás, Pye? ¿Cuántas vidas puede haber en un solo universo?

Me miró desconcertada, como si no comprendiera mi pregunta.

—¿Cuántas vidas en el universo, Richard?
—preguntó—. Una.

5

–¿Estás segura de que no hay mapas? –pregunté.

Pye sonrió.

–No hay mapas.

La lectura de cartas es una parte tan importante del vuelo..., pensé. Ponemos un punto en nuestro papel: aquí estamos. Otro punto: aquí deseamos ir. Entre ellos, un torrente de ángulos, rumbos y distancias, derroteros y tiempos. Ahora, en un infinito país que nunca habíamos visto, la brújula no funcionaba y no teníamos mapas.

–Aquí la guía es la intuición –dijo Pye–. Un plano de vosotros sabe cuanto se puede saber. Buscad ese plano, pedidle orientación y confiad en que os llevará adonde más necesitéis ir. Probad.

Leslie cerró inmediatamente los ojos y se relajó a mi lado, haciendo lo posible por seguir las instrucciones. El diseño se desplegaba allá abajo, sereno; nuestra extraña pasajera guardaba silencio; mi esposa estaba quieta desde hacía tanto tiempo que bien podía haber estado durmiendo.

—Gira a la derecha —dijo Leslie por fin, suavemente.

No me dijo si debía ser un viraje cerrado o abierto, no me indicó los grados.

Elegí hacerlo con suavidad; moví el timón y el anfibio se inclinó graciosamente en el giro.

Al cabo de un momento ella dijo:

—Ya está bien.

Las alas se nivelaron.

—Desciende unos ciento cincuenta metros.

Reduje la potencia y nos deslizamos más cerca de las olas.

Esto no es tan extraño, pensé. Los psíquicos que tratan de recordar otras vidas imaginan el camino por lo que les parece correcto, franqueando muros, atravesando puertas, hasta que llegan. ¿Por qué considerar extraño liberar la misma potencia para pilotear el Avemarina, dejando que busque a los nosotros alternativos que nuestro guía interior más desea hacernos conocer? Y si no resulta, ¿qué perdemos con intentarlo?

—Gira otra vez a la derecha —dijo Leslie. De pronto, casi de inmediato—: Recto. Y desciende otros ciento cincuenta metros.

—Así estaremos apenas por encima del agua —advertí.

Ella asintió con la cabeza, los ojos aún cerrados:

—Prepárate para aterrizar.

En el diseño, allá abajo, no se habían producido cambios: infinita complejidad, hasta donde alcanzaba la vista. Torbellino irisados, intersecciones y paralelas daban paso a desvíos bruscos, curvas y abanicos; los tonos pastel, al plateado. Chisporroteando por sobre todo eso, el cristalino mar de ese mundo extraño.

Me volví hacia Pye, pero ella, a manera de respuesta, miró un mudo "espera y verás".

—Giro a la derecha —dijo Leslie—. Casi hemos

llegado. Un poquitito a la izquierda... ¡Corta la energía y acuatiza!

Corté el acelerador y la quilla tocó las olas de inmediato. Leslie abrió los ojos ante el sonido del agua y observó, con tanta ansiedad como yo, el mundo que se disolvía en llovizna. El Avemarina desapareció, y Pye con él. Leslie y yo caímos juntos por un ocaso dorado, junto a los árboles de una ribera y, después, a lo largo de una vieja casa de piedra.

Nos detuvimos en la sala, penumbrosa y gris, de techos bajos; un hogar cerrado con tablas en un rincón, ondulantes suelos de madera marcada, un cajón de naranjas a manera de mesa, un destartalado piano vertical contra una pared. Hasta la luz de ese cuarto era gris.

En una silla vieja, frente al piano, se sentaba una joven delgada. Su pelo era largo y rubio; sus ropas estaban raídas. El estante de las partituras, frente a ella, desbordaba pesados libros de Beethoven, Bach, Schumann. Tocaba de memoria una sonata de Beethoven, sonido glorioso a través de ese instrumento ruinoso.

Leslie observaba todo, abrumada.

—Es mi casa —susurró—, ¡la casa de Upper Black Eddy! ¡Richie, ésa soy yo!

Miré con fijeza. Mi esposa me había dicho que, de niña, no había tenido mucho que comer, pero esa muchacha estaba al borde de la desnutrición. No era de extrañar que Leslie rara vez recordara el pasado. Si el mío hubiera sido tan triste, yo tampoco recordaría.

La muchacha no reparó en nosotros. Continuó tocando como si estuviera en el cielo.

Ante la puerta que comunicaba con la cocina apareció una mujer; se quedó escuchando la música en silencio, con un sobre abierto en la mano. Era menuda y de facciones hermosas, pero estaba tan demacrada y desharrapada como la muchachita.

—¡Mamá! —gritó Leslie, con voz quebrada.

49

La mujer no nos vio, no respondió. Esperó en silencio hasta que cesó la música.

–Maravilloso, querida –dijo la espalda de la muchacha, meneando tristemente la cabeza–. De veras. Estoy orgullosa de ti. ¡Pero es algo sin futuro!

–Mamá, por favor... –dijo la muchacha.

–Tienes que ser realista –prosiguió la madre–. Los pianistas se venden por docena. Recuerda lo que te dijo el sacerdote: que su hermana nunca pudo ganarse la vida con el piano. ¡Y eso, después de años y años de estudio!

–¡Oh, mamá! –La muchacha levantó los brazos en un gesto de exasperación.– ¡No vuelvas otra vez con lo de la hermana del sacerdote! ¿No te das cuenta de que esa mujer es una pianista malísima, que no pudo ganarse la vida con el piano porque lo toca horriblemente mal?

La madre pasó eso por alto.

–¿Sabes cuánto estudio necesitarás? ¿Sabes lo que cuestan esos estudios?

La muchacha apretó los dientes y miró hacia el frente, hacia sus partituras, asintiendo con aire sombrío:

–Sé exactamente cuánto cuestan. Ya tengo tres empleos, mamá. Conseguiré ese dinero.

La mujer suspiró.

–No te enfades conmigo, tesoro. Sólo trato de ayudarte. No quiero que dejes pasar estas maravillosas oportunidades como yo lo hice y después lo lamentes por toda tu vida. Envié tu fotografía a Nueva York porque sabía que podía ser tu solución. ¡Y lo que importa es que has ganado! ¡Te han *aceptado*!

Puso el sobre en el atril del piano y agregó:

–Cuanto menos, échale un vistazo. Tienes la oportunidad de trabajar como modelo para una de las mayores agencias de Nueva York y de terminar con esta lucha sin fin... ¡Trabajos de camarera, de fregona, matarte trabajando!

—¡No me mato trabajando!

—¡Mira cómo estás! Flaca como un espárrago. ¿Crees que podrás seguir así, acumulando todas tus clases en dos días a la semana, yendo y viniendo porque no puedes permitirte pasar en Filadelfia más de una noche a la semana? No puedes. ¡Tienes sólo diecisiete años y estás exhausta! ¿Por qué no entras en razones?

La muchacha permanecía rígida y silenciosa. La madre la observaba, meneando la cabeza, desconcertada.

—A cualquier muchacha le encantaría ser modelo. ¡Y tú quieres rechazar la oportunidad! Escucha, tesoro: ve y haz la prueba por un año o dos y ahorra todo lo que puedas. Entonces podrás seguir con la música, si aún lo deseas.

La chica alargó la mano para tomar el sobre y lo devolvió a su madre por sobre el hombro, sin mirar.

—No quiero ir a Nueva York —dijo, tratando de dominar su enojo—. No me importa haber ganado o no. No quiero ser modelo. Y no me molesta luchar, si con eso puedo hacer lo que me gusta.

La madre le arrebató la carta, ya perdida la paciencia.

—¿No puedes pensar en otra cosa que no sea ese piano?

—¡No!

La jovencita ahogó cualquier diálogo con las manos, llenando la habitación con los sonidos de las partituras que tenía adelante; sus dedos eran mariposas en un segundo, acero al siguiente. ¿Cómo puede tener tanta energía en brazos tan flacos?, me pregunté.

La madre la contempló por un momento. Sacó la carta del sobre, la dejó abierta sobre el cajón de naranjas y salió por la puerta trasera. La chica siguió tocando.

Por lo que Leslie me había contado, yo sabía que ofrecería un recital en Filadelfia al día siguiente. Se levantaría a las cuatro de la mañana para iniciar un viaje de ochenta kilómetros: seis horas a pie, en autobús, en trolebús. Asistiría a sus clases de secundaria durante todo el día; por la noche tocaría en su recital. Después dormiría en la estación de autobuses hasta que se iniciaran las clases de la mañana; de ese modo ahorraba el alquiler de un cuarto para comprar música.

Leslie se apartó bruscamente de mí para acercarse a la muchacha. Se detuvo a su lado, pero ella la ignoró.

Yo contemplaba la música, extrañado. Era *nueva*. Eran las mismas partituras, ya amarillentas, que aún honran nuestro piano.

Por fin la jovencita se volvió hacia Leslie; una cara pálida y adorable, de facciones parecidas a las de su madre y ojos azules que relampagueaban resentimiento.

—Si usted es de la agencia de modelos —dijo, al borde del enojo—, la respuesta es no. Gracias, pero no.

Leslie meneó la cabeza.

—No vengo en nombre de Conover —dijo.

La muchacha la miró por un largo instante; después se levantó, boquiabierta, atónita.

—Usted... ¡Usted se parece a mí! —exclamó—. ¡Usted *es* yo! ¿Cierto?

Mi esposa asintió.

La jovencita la miraba.

—¡Pero es adulta!

Rodeada por su pobreza y sus sueños, contempló su futuro, observó en silencio a mi esposa; por fin se quebró su pétrea muralla de decisión. Volvió a caer en la silla y escondió el rostro entre las manos.

—¡Ayúdame! —lloró—. ¡Por favor, ayúdame!

6

Mi esposa se arrodilló junto a la jovencita que había sido, mirándola.

—Todo está bien —le dijo, tranquilizadora—. Todo saldrá bien. ¡Tienes mucha suerte! ¡De veras!

La muchacha se incorporó para mirarla con incredulidad, mientras se enjugaba las lágrimas con las manos.

—¿Suerte? ¿Esto te parece suerte? —Casi reía de esperanza a través de los surcos dejados por las lágrimas.

—Suerte, don, privilegio. ¡Has averiguado qué te gusta! Muy pocas personas de tu edad lo han averiguado. Algunos no llegan jamás a saberlo. Tú ya lo sabes.

—La música.

Mi esposa asintió, mientras se ponía de pie.

—Estás tan bien dotada... Eres inteligente y talentosa, amas la música y tienes tanta voluntad como el mejor. ¡Nada puede detenerte!

—¿Por qué tengo que ser tan *pobre*? Si al menos...

Este piano está... ¡escucha! — Tocó el teclado cuatro veces, ocho notas en veloces octavas. Hasta yo me di cuenta de que adentro había cuerdas rotas. — El sol sostenido y el re no suenan. Ni siquiera tenemos dinero para afinarlo... — Descargó el puño contra las teclas amarillas. — *¿Por qué?*

— Para que puedas demostrar que la voluntad, el amor y el esfuerzo pueden arrancarte de la pobreza y la desesperación. Y tal vez algún día conozcas a alguna otra muchachita que viva en la pobreza. Entonces, cuando ella te diga: "Oh, a ti te resulta todo fácil porque eres una pianista famosa, eres rica; pero yo no tengo para comer y sólo cuento con esta ruina para practicar", entonces tú podrás transmitirle este poquito de experiencia y ayudarla a resistir.

La muchacha quedó pensativa.

— Estoy gimoteando y no sé por qué — dijo —. ¡Detesto los gimoteos!

— Ante mí puedes quejarte — dijo Leslie.

— ¿Podré resistir? ¿Triunfaré? — preguntó la jovencita.

— La decisión es tuya, más de lo que supones. — Leslie me echó una mirada. — Si jamás abandonas lo que te interesa, si te interesa tanto que estés dispuesta a luchar así para tenerlo, te prometo que tu vida estará llena de éxitos. Será una vida difícil, porque la excelencia no es fácil, pero buena.

— ¿Podría tener una vida fácil y mala?

— Esa también es una decisión.

— ¿Y una vida fácil y feliz? — Chisporroteaba la travesura.

Las dos mujeres se echaron a reír.

— Es posible — dijo Leslie —. Pero tú no escogerías una vida fácil, ¿verdad?

La muchacha la miró con aire de aprobación.

— Quiero hacer lo mismo que hiciste tú.

— No — dijo Leslie, con una sonrisa triste —. Sigue tu propio curso, escoge tu propio camino.

–¿Eres feliz?

–¡Sí!

–Entonces quiero hacer lo que tú hiciste.

Leslie estudió a la muchacha por un momento y, decidida a confesarle lo peor, prosiguió:

–No creo que quieras eso. He pasado por momentos tan terribles que ya no quería vivir. Muchas veces. Hasta traté de ponerle fin...

La muchacha contuvo el aliento.

–¡Yo también!

–Lo sé –dijo Leslie–. Sé lo difícil que es la vida para ti.

–Pero tú triunfaste. ¿Cómo?

Leslie apartó la cara, avergonzada de decírselo.

–Acepté el empleo de Conover. Abandoné el piano.

La muchacha quedó aturdida; aquello le parecía increíble.

–¿Cómo *pudiste*? ¿Y... y el amor, la voluntad?

Leslie volvió a mirarla.

–Sé lo que haces en Filadelfia: duermes en la estación de autobuses y gastas el dinero del alojamiento y de la comida en comprar partituras. Mamá se desmayaría si se enterara. Vives al borde del desastre.

La chica asintió.

–Yo era igual –dijo mi esposa–. Pero me quedé sin uno de los empleos y no pude seguir, ni aun pasando hambre. Estaba desesperada y furiosa, pero tuve que aceptarlo: mamá tenía razón. Me prometí que iría a Nueva York por sólo un año; trabajaría día y noche, ahorraría hasta el último centavo y ganaría lo suficiente para mantenerme hasta recibir el diploma.

La frase acabó en melancólicos recuerdos.

–¿Pero no ganaste nada?

–No. Gané mucho. El éxito, en un principio, me cayó encima como un aguacero: trabajos de modelo y después la televisión. Al cabo de un año estaba en Hollywood, contratada por la Twentieth Century-Fox, trabajando en cine. Pero tenía éxito en un trabajo que no me gustaba. Nunca me consideraba lo bastante buena ni lo bastante bonita; siempre me sentía fuera de lugar entre la gente hermosa. Como podía ayudar a la familia, no me parecía correcto renunciar para volver a la música. Pero tampoco escogí seguir en el cine; simplemente *me quedé*: una decisión por abandono.

Hizo una pausa, recordando.

—No ponía el corazón en eso, ¿comprendes? Por eso sólo me permitía un éxito limitado. Cada vez que las cosas amenazaban con ir más allá, yo rechazaba la mayor parte, huía o me enfermaba; hacía algo para arruinarlo. Nunca tomé claramente la decisión de triunfar de verdad.

Guardaron silencio por un momento, pensativas ambas.

—¿Y cómo quejarme de las cosas buenas que me estaban pasando? No podía decir nada a nadie. Me sentía sola. —Leslie suspiró.— Y bien. Cuando abandoné la música obtuve tanto éxito como pude tolerar. Tuve aventuras, desafíos, entusiasmo, un tremendo aprendizaje...

—No parece tan malo... —comentó la jovencita.

Mi esposa asintió.

—Lo sé. Por eso resultaba tan difícil comprender, tan difícil dejarlo. Pero años después me di cuenta de que, al abandonar la música, abandoné mi oportunidad de llevar una vida apacible y gozosa, haciendo lo que realmente me gustaba. La abandoné por largo tiempo, cuanto menos.

Yo escuchaba, sorprendido. Apenas comenzaba a comprender lo que aquello debía de haber sido, lo que mi esposa había descartado al pasar de la música al hielo de su carrera cinematográfica.

La muchacha parecía totalmente confundida.

—Bueno, eso fue cierto en tu caso, pero ¿sería cierto en el mío? ¿Qué debería hacer *yo*?

—Tú eres la única en el mundo que puede responder a esa pregunta. Averigua qué quieres en realidad y hazlo. No te pases veinte años viviendo por abandono, si puedes decidir ahora mismo seguir la dirección de tu amor. *¿Qué es lo que quieres, en realidad?*

Ella lo supo de inmediato.

—Quiero aprender. Quiero ser excelente en lo mío —dijo—. Quiero dar algo bello al mundo.

—Lo harás. ¿Qué más?

—Quiero ser feliz. No quiero ser pobre.

—Sí. ¿Qué más?

La muchacha iba entusiasmándose con el juego.

—Quiero creer que hay un motivo que da sentido al vivir, un principio que me ayude a pasar los malos ratos y también los buenos. No es la religión, porque ya lo he intentado, de veras, y en vez de darme respuestas sólo me dicen: "Ten fe, hija mía".

Leslie frunció el ceño al recordar. La joven prosiguió, súbitamente intimidada:

—Quiero creer que en el mundo hay alguien tan solo como yo. Quiero creer que vamos a encontrarnos y... a amarnos, y que nunca volveremos a estar solos.

—Escucha —dijo mi esposa—: todo cuanto has dicho, todo cuanto quieres creer *ya es cierto*. Quizá tardes algún tiempo en encontrar algunas de esas cosas; otras tardarán mucho más. Pero eso no quita que sean verdad en este mismo instante.

—¿También ese alguien a quien amar? ¿Hay realmente alguien para mí? ¿El también existe?

—Se llama Richard. ¿Quieres conocerlo?

—¿Conocerlo *ahora*? —exclamó ella, con los ojos maravillados.

Mi esposa alargó una mano hacia mí. Salí de tras la muchacha, feliz de que ese aspecto de alguien tan querido quisiera conocerme.

Ella me miró sin decir palabra.

—Hola —dije, yo también algo abrumado.

¡Qué extraño, mirar aquella cara, tan diferente de la mujer que yo amaba, tan la misma cosa!

—Pareces... demasiado... muy adulto para mí. —Por fin había hallado una forma diplomática de decir "viejo".

—Por la época en que vas a conocerme te encantarán los hombres mayores —le aseguré.

—¡A mí no me encantan los hombres mayores! —protestó mi esposa, echándome los brazos a la cintura—. Me encanta *este* hombre mayor.

La muchacha nos observaba.

—¿Puedo preguntar... si vosotros sois realmente felices como pareja? —Lo dijo como si le costara creerlo.

—Más felices de lo que puedas imaginar —le dije.

—¿Cuándo te conoceré? ¿Dónde? ¿En el conservatorio?

¿Debía decirle la verdad? ¿Qué aún pasaría por otros veinticinco años, un matrimonio fracasado, otros hombres? ¿Que faltaban una vida y media a partir del momento en que estaba, junto a su maltrecho piano, para que nos conociéramos?

Miré la pregunta a mi esposa.

—Pasará bastante tiempo —dijo ella, con suavidad.

—Oh...

Pasará bastante tiempo parecía haberla hecho sentir más sola que nunca. Se volvió hacia mí.

—Y tú, ¿qué decidiste ser? —preguntó—. ¿Tú también eres pianista?

—No —dije—. Soy piloto de aviones.

Ella miró a Leslie, desilusionada.

—...pero estoy aprendiendo a tocar la flauta.

Me di cuenta de que no le impresionaban los flautistas aficionados. Lo dejó pasar, decidida a descubrir mi aspecto más interesante, y se inclinó hacia mí, muy seria.

—¿Qué puedes enseñarme? —preguntó—. ¿Qué *sabes*?

—Sé que todos estamos en la escuela —dije—. Y

tenemos algunos cursos obligatorios: Sobrevivencia, Alimentación y Techo —enumeré con intención. Ella sonrió con aire culpable, comprendiendo que yo había oído de sus secretos para ahorrar dinero—. ¿Sabes qué otra cosa sé?

—¿Qué?

—Que ni las discusiones, ni los hechos ni los argumentos te harán cambiar de idea. A nosotros nos es fácil ver la solución de tus problemas; todo problema es fácil cuando ya lo has solucionado. Pero ni siquiera tu propio yo futuro, materializado de la nada frente a ti para decirte, palabra por palabra, lo que te pasará en los próximos treinta y cinco años, podrá hacerte cambiar de idea. Lo único que te hará cambiar es tu propia comprensión individual, personal.

—¿Quieres que aprenda eso de ti? —La muchacha rió.— Toda mi familia me cree terca y extraña. Te odiarían si escucharan cómo me alientas.

—¿Por qué crees que hemos venido a verte? —preguntó Leslie.

—¿Porque pensasteis que me mataría? —sugirió la jovencita—. ¿Por que a ti te habría gustado que algún yo futuro se hubiera presentado ante ti a esta edad para decirte: "No te preocupes, sobrevivirás". ¿No es así?

Leslie asintió.

—Prometo sobrevivir —dijo la muchacha—. Más aún, prometo que te alegrarás de que yo viva; prometo que te sentirás orgullosa de mí.

—Ya lo estoy —aseguró Leslie—. ¡Los dos estamos orgullosos de ti! Mi vida estaba en tus manos y no me dejaste morir; no abandonaste, pese a que a tu alrededor todo era desesperación. Tal vez no hemos venido a salvarte; tal vez vinimos para agradecerte que abrieras el camino, que posibilitaras el encuentro entre Richard y yo, para que pudiéramos ser felices. Tal vez vinimos a decirte que te amamos.

El mundo empezó a estremecerse a nuestro alrededor. El triste escenario se borroneó. Se nos estaba arrancando de allí.

Ella, al comprender que nos íbamos, se enjugó las lágrimas de los ojos.

— ¿Volveré a veros?

— Eso esperamos... —dijo Leslie, también entre lágrimas.

— ¡Gracias por venir! —gritó aún—. ¡Gracias!

Debemos de haber desaparecido para ella, pues a través de la niebla la vimos reclinarse contra el piano, con la cabeza gacha por un momento. Luego se sentó en la vieja silla y sus dedos comenzaron a moverse sobre el teclado.

7

El severo cuarto desapareció en llovizna arremolinada y el motor rugió allá arriba.

Pye apartó la mano del acelerador y se acomodó en el asiento trasero para observarnos, cálido apoyo.

—¡Llevaba una vida tan dura! —comentó Leslie, secándose las lágrimas—. ¡Estaba tan sola! ¿Es justo que nosotros recibamos las recompensas de su valor y sus esfuerzos?

—Recuerda que ella escogió esa vida —dijo Pye—. También escogió las recompensas.

—¿Qué recompensas? —preguntó Leslie.

—¿Acaso no es ahora parte de ti?

Por supuesto, me dije. Su amor por la música, su mente empecinada y firme, hasta su cuerpo, pulido y modelado por años de decisiones, ¿no estaban con nosotros en ese mismo instante, mientras volábamos?

—Supongo que sí —dijo Leslie—. Pero me gustaría saber qué le pasó después.

—Le pasó de todo —dijo Pye—. Siguió con su música y la abandonó, fue a Nueva York y no fue, es una famosa concertista de piano, se suicidó, es profesora de matemáticas, es una estrella de cine, es activista política, es embajadora ante Argentina. A cada giro que tomas en tu vida, con cada decisión que tomas, te conviertes en madre de todos tus yos alternativos. Tú eres sólo una de sus hijas.

Nivelé el hidroavión a unos cien metros por sobre el agua y llevé el acelerador hacia atrás, hasta lograr potencia de crucero. No hay necesidad de altitud cuando el mundo entero es apto para aterrizar.

Allá abajo seguían pasando los diseños, infinitos senderos y colores bajo el agua.

—Complicado, ¿no? —dije.

—Es como un tapiz —observó Pye—. Hebra por hebra, es simple. Trata de tejer por metro y se enreda un poco.

—¿No echas de menos a tus yos anteriores —pregunté a nuestra guía—. ¿No nos extrañas a nosotros?

Ella sonrió.

—¿Cómo extrañaros, si nunca estamos separados? Aunque no vivo en el espacio-tiempo, estoy siempre con vosotros.

—Pero Pye —observé—, tú tienes cuerpo. Quizá no sea igual al nuestro, pero tiene cierto tamaño, cierto aspecto.

—No, no tengo cuerpo. Percibes mi presencia y escoges percibirla como cuerpo. Podrías haber elegido entre un amplio espectro de otras percepciones, todas ellas útiles, ninguna cierta.

Leslie se volvió a mirarla.

—¿Cuál es la percepción más elevada que podríamos haber escogido?

Yo también me volví. Y vi una estrella blanquiazulada de luz pura, un arco de carbono en la cabina. El mundo se volvió incandescente.

Nos apartamos con brusquedad. Cerré los ojos con fuerza, pero ese esplendor seguía rugiendo. Por fin el fuego desapareció. Pye nos tocó en el hombro y volvimos a ver.

—Lo siento —dijo—. ¡Qué desconsiderada he sido! No podéis verme tal como soy; no podéis tocarme tal como soy. No podemos hablar en palabras y decir toda la verdad, porque el lenguaje no puede describir... Cuando digo *yo* y no expreso *nosotros-vosotros-todo-espíritu-Uno*, estoy diciendo una mentira; pero no hablar con palabras es perder esta oportunidad de conversar. Más vale una mentira bien intencionada que el silencio, o que la falta de toda conversación.

Mis ojos aún estaban en llamas por aquella luz.

—Dios mío, Pye, ¿cuándo aprenderemos a hacer *eso*?

Ella se echó a reír.

—Ya lo sabéis. Lo que debéis aprender, en el espacio-tiempo, es a mantener vuestras luces apagadas.

Quedé más intrigado que nunca; me ponía nervioso necesitar de esa persona. Por muy amable que pareciera, era ella quien manejaba nuestra vida.

—Pye, cuando queramos volver de esos yos alternativos en los que aterrizamos, ¿cómo debemos hacer para que el avión nos lleve?

—No necesitáis el avión, en absoluto. Ni tampoco el diseño. Los formáis con vuestra imaginación y hacéis con ellos lo que os place. Y tal como lo imagináis, así parece ser vuestro mundo.

—¿Imagino que pongo la mano en el acelerador? ¿Cómo puedo poner la mano en el acelerador si estoy en otro mundo? ¿Cómo puedo estar en dos lugares al mismo tiempo? ¡Si tú no nos hubieras sacado de allí, estaríamos atrapados en 1952!

—No estáis en dos lugares al mismo tiempo, sino en todas partes al mismo tiempo. Y sois vosotros los que gobernáis vuestros mundos, no a la inversa. ¿Os gustaría probar otra vez?

Leslie me tocó la rodilla y tomó los mandos.

—Prueba, queridito —dijo— Dime hacia dónde ir.

Me arrellané en el asiento, con los ojos cerrados.

—Recto hacia adelante —dije; me sentía tonto. Con la misma facilidad habría podido decir: "Recto hacia arriba".

El motor nos acunó por un rato. De pronto, aunque no veía nada, percibí una súbita sensación de voluntad en lo oscuro.

—Gira a la derecha —dije—. Bien a la derecha.

Sentí que el avión se inclinaba al girar. Entonces vi líneas luminosas: una fina hebra de niebla extendida verticalmente; otra horizontal. Estábamos a la izquierda del punto donde se cruzaban, cerca del centro.

—Está bien. Recto.

La cruz bajó un poco más y empezó a centrarse.

—Empieza a descender. Un poquito a la izquierda...

Ahora la imagen mental era tan clara como las agujas de un instrumento para el aterrizaje e igualmente exacta. ¡Qué real parece nuestra imaginación!

—Abajo un poquito —dije—. Estamos en trayectoria de planeo, en línea central. Un poquito más a la izquierda. Deberíamos de estar a punto de tocar agua, ¿no?

—Uno o dos metros más —dijo Leslie.

—Bien. Ahora, cierra la potencia —dije.

Oí que las olas rozaban la quilla de nuestro barco volador; al abrir los ojos vi que el mundo desaparecía, envuelto en llovizna. Después todo se convirtió en negrura móvil, en difusas formas plateadas que se estremecían en la oscuridad. Por fin nos detuvimos.

Estábamos de pie en una ancha explanada de cemento... ¡Una base aérea! Luces azules para pistas de circulación en los bordes, pistas a la distancia, aviones de combate a chorro en tierra, plata bajo el claro de luna.

—¿Dónde estamos? —susurró Leslie.

Los aviones de combate, de los que había filas y

más filas, eran Sabrejets F-86F norteamericanos. De inmediato adiviné dónde estábamos.

—En la base Williams de la Fuerza Aérea, en Arizona. Escuela para pilotos de combate. Es 1957 —murmuré—. Yo solía caminar por aquí a la noche, sólo para estar con los aviones.

—¿Por qué hablamos en susurros? —preguntó ella.

En ese momento apareció un jeep de la Policía Aérea por el extremo de una pista; venía patrullando y avanzó hacia nosotros. Aminoró la marcha, giró alrededor de un avión aparcado a nuestra derecha y se detuvo.

Aunque no podíamos ver al policía, sí oímos su voz.

—Disculpe, señor —dijo—, ¿podría mostrarme su documento de identidad?

Respondió una voz baja, con unas cuantas sílabas que no captamos.

—Está hablando conmigo —dije a Leslie—. Recuerdo esto.

—Por cierto, señor. —La voz del policía.— Sólo es una verificación. No hay problema.

Un momento después, el jeep retrocedió para esquivar el ala; su conductor puso la primera, apretó el acelerador y viró alrededor del avión. Si nos vio, no dio señales de que así fuera. Antes de que pudiéramos hacernos a un lado, los fanales delanteros eran soles deslumbrantes que estallaban hacia nosotros.

—¡CUIDADO! —grité, demasiado tarde.

Leslie lanzó un alarido.

El jeep siguió en línea recta hacia nosotros, pasó a través de nuestros cuerpos sin pensarlo dos veces y continuó su marcha, siempre acelerando.

—Oh —dije—. Disculpa. Me había olvidado.

—¡Cuesta acostumbrarse! —reconoció ella, sin aliento.

Ante el morro del avión apareció una silueta.

—¿Quién anda por allí? ¿Estáis bien?

Usaba un traje de piloto de nylon oscuro y una chaqueta; él mismo era un difuso fantasma a la luz de la luna. En la chaqueta, bordadas en blanco, las alas de piloto y las barras amarillas de teniente segundo.

—Ve tú —susurró Leslie—. Estaré esperándote allí.

Asentí y le di un abrazo.

—Estoy bien —dije—. ¿Autorización para reunirme con usted?

Sonreí ante mi propia expresión; después de tantos años, volvía a hablar como los cadetes.

—*¿Quién es?*

¿Por qué tenía que hacer preguntas difíciles?

—Teniente segundo Bach, Richard D., señor —respondí—. A-O-tres-cero-ocho-cero-siete-siete-cuatro, señor.

—¿Eres tú, Mize? —Rió entre dientes—. ¿Qué haces por aquí, payaso?

Phil Mizenhalter, me dije. Qué gran tipo. Dentro de diez años habrá muerto, derribado en Vietnam con su F-105.

—No soy Mize —respondí—. Soy Richard Bach. Tú venido del futuro, de treinta años a partir de ahora.

El forzó la vista en la oscuridad.

—¿Quién dices que eres?

Si insistimos con esto, pensé, tendremos que acostumbrarnos a esa pregunta.

—Soy usted, teniente. Usted mismo, con un poco más de experiencia. Soy el que cometió todos los errores que usted va a cometer y se las compuso para sobrevivir.

El se acercó un poco más para inspeccionarme en la oscuridad. Aún pensaba que todo eso era una broma.

—¿Voy a cometer errores? —dijo, con una sonrisa—. Cuesta creerlo.

66

–Podríamos llamarlos experiencias inesperadas de aprendizaje.

–Creo que puedo manejarme con ellos –dijo.

–Ya has cometido el peor –insistí–: unirte a los militares. Lo inteligente sería renunciar ahora. No, lo inteligente no: sería lo sabio.

–¡Jo! –exclamó–. ¡Acabo de graduarme como piloto! Aún me cuesta creer que soy un piloto de la Fuerza Aérea y tú me dices que renuncie. Qué bien. ¿Qué más sabes?

Si pensaba que eso era un juego, estaba dispuesto a jugar.

–Bueno –dije–, en el pasado que yo recuerdo, creía estar usando a la Fuerza Aérea para aprender a volar. En realidad, la Fuerza Aérea me estaba usando a mí y yo no lo sabía.

–¡Pero yo sí lo sé! –exclamó–. Ocurre que amo a mi país. Y si hay que combatir para mantenerlo libre, quiero participar.

–¿Te acuerdas del teniente Wyeth? Háblame del teniente Wyeth.

Me miró de soslayo, intranquilo.

–Se llamaba Wyatt –corrigió–. Instructor en adiestramiento previo al vuelo. No sé qué le pasó en Corea, pero se volvió un poquito loco. Se plantó frente a nuestra clase y escribió en la pizarra, en letras bien grandes: ¡ASESINOS! Después giró en redondo, con cara de muerte sonriente, y dijo: "¡Esos son ustedes!" Se llamaba Wyatt.

–¿Sabes qué vas a descubirr en tu futuro, Richard? –dije–. Vas a descubrir que el teniente Wyatt era la persona más cuerda de cuantas conocerás en la Fuerza Aérea.

El sacudió la cabeza.

–Fíjate –dijo–: de vez en cuando imagino cómo sería conocerte, hablar con el hombre que voy a ser dentro de treinta años. Tú no eres como él. ¡En absoluto! ¡El estará orgulloso de mí!

—Yo también estoy orgulloso de ti —dije—, pero por motivos diferentes de los que imaginas. Estoy orgulloso porque sé que estás poniendo lo mejor de ti. Pero no me enorgullezco de que lo mejor de ti se ofrezca para matar gente, para asolar aldeas atacándolas desde aviones, a ametralladora, cohetes y napalm, aldeas llenas de niños y mujeres aterrorizados.

—¡Ni hablar de eso! —dijo—. ¡Yo voy a estar en la defensa!

No dije una palabra.

—Bueno, lo que me gustaría hacer es dedicarme a la defensa aérea. Me limité a mirarlo en la oscuridad.

—Caramba, quiero servir a mi país y haré cualquier cosa que...

—Podrías servir a tu país de diez mil maneras diferentes —le aseguré—. Vamos, di, ¿por qué estás aquí? ¿Lo sabes siquiera? ¿Eres tan franco contigo mismo?

Vaciló.

—Quiero volar.

—Antes de enrolarte en la Fuerza Aérea sabías volar. Podrías haber piloteado Piper Cubs y Cessnas.

—No son lo bastante... rápidos.

—No son como los que figuran en las propagandas, ¿verdad? Los Cessnas no son como los aviones de las películas.

Silencio. Luego:

—No.

—Bueno, ¿por qué estás aquí?

—Porque hay algo en el alto desempeño... —Se contuvo, ya tan sincero como le era posible.— Hay algo en los aviones de combate. Hay una gloria que no se encuentra en otro sitio.

—Háblame de esa gloria.

—La gloria proviene de un... dominio de la cosa. Al pilotear este avión —dijo, dando una palmadita amorosa al ala—, no estoy chapoteando en el barro, no estoy atado a escritorios, ni a edificios ni a nada en el mundo. Puedo volar a una velocidad superior a la del sonido, a doce mil metros de altura, donde prácticamente no ha estado nunca otro ser viviente. Algo en mí sabe que no somos seres del suelo, me dice que *no tenemos límites*, y como más logro acercarme a vivir lo que sé cierto es piloteando uno de éstos. Da la causalidad de que es un avión de combate.

Por supuesto. Por eso había deseado yo la velocidad, el deslumbramiento, el rayo. Nunca lo había dicho con palabras, nunca lo había expresado en mis pensamientos. Me limitaba a sentirlo.

—Detesto que cuelguen bombas a los aviones —continuó él— pero no puedo evitarlo. De lo contrario no habría aparatos como éste.

Sin ti, pensé, la guerra moriría. Moví la mano hacia el Sabre. Hasta el día de hoy sigo considerándolo como el avión más hermoso de cuantos se han construido.

—Hermoso —dije—. Carnada.

—¿Carnada?

—Los aviones de combate son carnada. El pez eres tú.

—¿Y cuál es el anzuelo?

—El anzuelo te matará cuando lo descubras —dije—. El anzuelo es que tú, Richard Bach, ser humano, eres personalmente responsable por cada hombre, mujer y niño que mates con esta cosa.

—¡Un momento! Yo no soy responsable. No tengo nada que ver en decisiones como ésa. Obedezco órdenes...

—La guerra no es excusa, la Fuerza Aérea no es excusa, las órdenes no son excusas. Cada asesinato te perseguirá hasta tu muerte; todas las noches despertarás gritando y volverás a matar a cada uno, otra vez, otra vez más.

Se puso tieso.

—Mira, sin la Fuerza Aérea, si nos atacan... ¡Estoy aquí para proteger nuestra *libertad*!

– Dijiste que estabas aquí porque deseabas volar y por la gloria.

– Al volar protejo a mi país...

– Eso es lo que dicen también los otros, palabra por palabra. Los soldados rusos, los soldados chinos, los soldados árabes, los soldados puntos suspensivos de la nación puntos suspensivos. Se les enseña el lema "En Nosotros Confiamos", "Defiende a la Patria, a la Matria, contra Ellos." Pero el Ellos de los otros, Richard, ¡eres *tú*!

Súbitamente perdió la arrogancia.

– ¿Recuerdas los modelos de aviones? – dijo, casi suplicante –. Mil modelos de aviones, y un diminuto yo piloteaba cada uno de ellos. ¿Recuerdas lo de trepar a los árboles para mirar hacia abajo? Yo era el pájaro que esperaba volar. ¿Recuerdas haberte arrojado desde los trampolines, fingiendo que eso era volar? ¿Recuerdas el primer ascenso, en el Globe Swift de Paul Marcus? Por días enteros no volví a ser el de antes. ¡Nunca más volví a ser el de antes!

– Así es como está planeado – observé.

– ¿Planeado?

– En cuanto aprendiste a ver, ilustraciones. En cuanto aprendiste a escuchar, cuentos y canciones. En cuanto aprendiste a leer, libros, letreros, banderas, películas, estatuas, tradición, clases de historia, juramentos de lealtad, saludos a la bandera. Por un lado, Nosotros; por el otro, Ellos. Ellos nos harán daño si no estamos atentos, suspicaces, furiosos, armados. Obedece las órdenes, haz lo que se te dice, defiende a tu país.

"Se alienta en el niño varón la curiosidad por las máquinas que se mueven: automóviles, barcos, aviones. Después se les pone ante los ojos lo más excelso de esas máquinas mágicas en un solo lugar: en los cuarteles, en las fuerzas armadas de todos los países del mundo. Metes a los automovilistas en tanques de un millón de dólares, botas a los amantes del mar en cruceros nucleares y ofreces a los futuros pilotos (a ti, Richard) los aviones más veloces de la historia. Todo tuyo, y también usarás este vistoso casco y esta visera, y pintarás tu propio nombre en el flanco de la cabina.

"Te incitan: *¿Eres lo bastante bueno? ¿Eres lo bastante recio?* Te alaban: *¡Elite! ¡Artillero de primera!* Te envuelven en banderas, te prenden alas en el bolsillo y galones en los hombros y medallas de cintas coloridas, todo simplemente por hacer lo que te ordenan quienes manejan tus hilos.

"A los afiches de reclutamiento no se les aplican las normas de propaganda veraz. Las ilustraciones muestran aviones a chorro. No dicen: A propósito, si no te matas piloteando este avión, morirás en la cruz de tu responsabilidad personal con respecto a las personas que mates con él.

"Aquí no se trata de los ignotos otros, Richard, sino *de ti*, que te tragas la carnada y estás orgulloso de eso. Orgulloso como un pez libre con tu bonito uniforme azul, ensartado en este bello avión, arrastrado por los hilos hacia tu propia muerte, tu propia muerte agradecida, orgullosa, honorable, patriótica, inútil y estúpida.

"Y a Estados Unidos no le importará, ni le importará a la Fuerza Aérea, ni tampoco al general que dé las órdenes. Al único que alguna vez le importarán las personas que hayas matado será a ti. A ti, a ellos, a sus familias. Vaya gloria, Richard...

Giré en redondo y me alejé, dejándolo junto al ala del avión. Pensaba: ¿Acaso el *adoctrinamiento* predestina tanto la vida que no hay manera de cambiar? ¿Acaso yo cambiaría, me prestaría atención, si estuviera en lugar de él?

No levantó la voz ni me llamó. Habló como si no se hubiera enterado de mi partida.

—¿Cómo que yo soy responsable?

Qué extraña sensación. Estaba hablando conmigo mismo, pero su mente ya no era mía cuando de cambiarla se trataba. Sólo podemos transformar nuestra vida en esa eternidad de una fracción de segundo que es nuestro ahora. Si nos apartamos un momento de ese ahora se convierte en la elección de otra persona.

Agucé el oído para captar su voz:

—¿A cuántas personas mataré?

Caminé otra vez hacia él.

—En 1962 te enviarán a Europa con el 478º Escuadrón de Combate Táctico. Se llamará a eso "la crisis de Berlín". Memorizarás rutas hacia un objetivo primario y dos secundarios. Existe una buena posibilidad de que, dentro de cinco años, dejes caer una bomba de veinte megatones en la ciudad de Kiev.

Lo observé antes de continuar:

—La ciudad es conocida sobre todo por su industria editorial y fílmica, pero lo que a ti te interesará son los ferrocarriles, en el medio de la ciudad, y las fábricas de herramientas mecánicas en los lindes.

—¿A cuántas personas...?

—Ese invierno habrá novecientas mil almas en Kiev. Si obedeces las órdenes, los pocos miles que sobrevivan a tu ataque lamentarán no haber muerto con los otros.

—¿*Novecientas mil personas?*

—Animos caldeados, orgullo nacional en juego, seguridad del mundo libre —dije—, un ultimátum tras otro...

—¿Y yo arrojaré...? ¿Arrojaste tú esa bomba? —Estaba tenso como el acero, escuchando su futuro.

Abrí la boca para decir que no, que los soviéticos se echaron atrás, pero mi mente se puso plateada de ira. Un yo alternativo, desde el holocausto de un pasado diferente, me aferró por el cuello y escupió furia, con una voz de navaja ronca, desesperada por hacerse oír.

—*¡Por supuesto que sí!* No hice preguntas, como tú no las haces. Me dije que, si estábamos en guerra, el presidente era quien conocía todos los datos, tomaba las decisiones y era responsable. Sólo al despegar se me ocurrió que el presidente no puede ser responsable por la bomba arrojada porque *el presidente no sabe pilotear aviones.*

Luché por recobrar el mando y perdí.

—El presidente no distingue una tecla lanzamisiles de un pedal de timón de cola; el comandante en jefe no sabe poner en marcha el motor ni corretear por la pista. Sin mí, es sólo un inofensivo tonto sentado en Washington y el mundo se las compondría, de algún modo, para seguir adelante sin su guerra nuclear. ¡Pero ese tonto me tenía *a mí*, Richard! Como él no sabía matar a un millón de personas, *yo lo hice por él.* Su arma no era la bomba: su arma *era yo.* En ese entonces no llegué a comprenderlo: en todo el mundo somos un puñado los que sabemos cómo hacerlo, y sin nosotros no podría haber guerra. Destruí a Kiev, ¿puedes creerlo? Incineré a novecientas mil personas porque algún loco... *¡me lo ordenó!*

El teniente estaba boquiabierto. Me observaba.

—¿Te enseñaron ética en la fuerza Aérea —siseé—. ¿Alguna vez estudiaste una materia llamada *Responsabilidad del piloto de combate?* ¡Ni lo estudiaste ni lo estudiarás en tu vida! La Fuerza Aérea te dice que obedezcas las órdenes, que hagas lo que se te indica: por tu país, para bien o para mal. No te dice que después tendrás que vivir con *tu conciencia* a cuestas, para bien o para mal. Obedeces las órdenes de aniquilar a Kiev y, seis horas después, un tipo que te resultaría muy simpático, un piloto llamado Pavel Chernov, obedece otras órdenes e incinera Los Angeles. Mueren todos. Si al matar a los rusos te asesinas a ti mismo, *¿para qué matarlos, al fin y al cabo?*

—Pero yo... prometí obedecer órdenes.

De inmediato el loco me soltó el cuello, desesperado, y desapareció. Probé una vez más con la lógica.

—¿Qué te harán si salvas un millón de vidas desobedeciendo las órdenes? —pregunté—. ¿Tildarte de piloto no profesional? ¿Someterte a corte marcial? ¿Matarte? ¿Qué sería peor: eso o lo que habrías hecho a la ciudad de Kiev?

Me miró en silencio por un largo instante. Por fin dijo:

—Si pudieras decirme cualquier cosa y yo prometiera recordar, ¿qué me dirías? ¿Que estás avergonzado de mí?

Suspiré, súbitamente cansado.

—Oh, hijo, las cosas me serían mucho más fáciles si te limitaras a mantener la mente cerrada y a insistir en que haces lo correcto al obedecer órdenes. ¿Por qué tienes que ser tan buen tipo?

—Porque soy tú, hombre —dijo.

Sentí un toquecito en el hombro. Al levantar la vista me encontré con el lustre del pelo dorado bajo el claro de luna.

—¿No nos presentas? —dijo Leslie.

Las sombras mostraban a una hechicera en la noche. Me erguí de inmediato, captando un destello de sus intenciones.

—Teniente Bach —dije—, te presento a Leslie Parrish. Tu alma gemela, tu futura esposa, la mujer que estás buscando, la que hallarás al final de muchas aventuras, al principio de la mejor.

—Hola —dijo ella.

—Yo... eh... hola —tartamudeó él—. ¿Mi esposa, dijiste?

—Puede llegar ese momento —respondió ella, con suavidad.

—¿Estás seguro de que te refieres a mí?

—En este momento hay una joven Leslie que inicia su carrera —replicó ella—; se pregunta dónde estás, quién eres, cuándo os vais a encontrar...

El joven estaba apabullado por esa visión. Llevaba años soñando con ella, amándola, seguro de que lo esperaba en algún lugar del mundo.

—No puedo creerlo —dijo—. ¿Tú vienes de mi futuro?

—De uno de tus futuros —respondió Leslie.

—Pero ¿cómo podemos encontrarnos? ¿Dónde estás ahora?

—No podremos encontrarnos mientras no abandones la carrera militar. En algunos futuros no nos encontraremos jamás.

—¡Pero si somos almas gemelas tenemos que encontrarnos! —protestó él—. ¡Las almas gemelas nacen para pasar la vida en pareja!

Ella dio un paso atrás, un paso pequeño.

—Tal vez no.

Nunca ha estado más adorable que esta noche, pensé. ¡Tanto, que él quiere volar a través del tiempo para conocerla!

—No se me ocurrió que algo pudiera... ¿Qué poder existe que pueda mantener separadas a dos almas gemelas? —preguntó él.

¿Era mi esposa la que hablaba o una Leslie alternativa de su propio futuro diferente?

—Mi queridísimo Richard —dijo—, ¿en ese futuro en que bombardearás Kiev y tu amigo, el piloto ruso, bombardeará Los Angeles? El estudio de la Twentieth Century-Fox, donde yo estaré trabajando, está a menos de un kilómetro y medio con respecto al punto de detonación. Un segundo después de que caiga la primera bomba, yo habré muerto.

Se volvió hacia mí, con un destello de terror en los ojos, perdida la finalidad de nuestra vida en pareja. Ese otro yo gritaba: "¡Hay algunos futuros en que...! ¡Las almas gemelas no siempre se encuentran!"

Estuve a su lado de inmediato, rodeándola con un brazo, abrazándola hasta que el terror pasó.

—No podemos alterar eso —le dije.

Ella asintió, desaparecida la angustia; lo sabía antes que yo.

—Tienes razón —dijo con tristeza. Y se volvió ha-

75

cia el teniente–. No nos toca a nosotros elegir, sino a ti.

Lo mejor que podíamos decir estaba dicho. Lo mejor que sabíamos, también él lo sabía.

En algún punto de nuestro futuro simultáneo, Leslie hizo lo que Pye nos había indicado. Era tiempo de partir; cerrando los ojos, imaginando el mundo del diseño, impulsó hacia adelante el acelerador del Avemarina.

El cielo nocturno, los aviones de combate, la base aérea se estremecieron a nuestro alrededor. El teniente también, diciendo: "¡Esperad...!"

Y desapareció.

Buen Dios, pensé. Mujeres, niños y hombres, amantes y panaderos, actrices, músicos, comediantes, médicos y bibliotecarios, el teniente los mataría a todos sin misericordia cuando algún presidente así se lo ordenara. Cachorritos, pájaros, árboles, flores y fuentes, libros, museos y cuadros; quemaría viva a su propia alma gemela y nada de cuanto dijéramos podría impedirlo. ¡El es *yo* y no puedo impedírselo!

Leslie, que me leía la mente, me tomó de la mano.

–Escucha, Richard, querido. Tal vez no pudimos impedírselo –dijo–. Pero tal vez sí.

8

Leslie mantuvo el acelerador hacia adelante y llevó el Avemarina rumbo al cielo. A treinta metros por encima del diseño volvió a velocidad de crucero y niveló el aparato.

Aunque volábamos a través de un cielo luminoso y por sobre el agua brillante, la desesperación pendía oscura y densa en la cabina, junto con la estupefacción por el hecho de que seres humanos inteligentes se dejaran arrastrar a la guerra. Era como si la idea nos resultara nueva, flamante; nuestra sombría aceptación de esa posibilidad en la vida diaria se había hecho añicos con una nueva mirada a la demencia que eso representaba.

—Pye —dije, por fin—, de todos los sitios en que pudimos descender, en un diseño que se extiende hasta el infinito, ¿por qué elegimos estos pasados? ¿Por qué Leslie ante el piano y Richard junto a su avión de combate?

—¿No lo adivináis? —preguntó ella, reflejándonos la pregunta a ambos.

Estudié uno y otro hecho. ¿Qué tenían en común?

–¿Los dos eran jóvenes y estaban perdidos?

–¿Por perspectiva? –sugirió Leslie–. Ambos habían llegado al momento en que necesitaban recordar el poder de las elecciones...

Pye asintió.

–Los dos estáis en lo cierto.

–Y la finalidad de este viaje –dije–, ¿es aprender perspectiva?

–No –respondió–, no hubo finalidad. Caísteis aquí por casualidad.

–¡Oh, Pye! –protesté.

–¿No crees en las casualidades? Entonces debes creer que tú eres responsable, que tú fijaste rumbo hasta ese lugar.

–Bueno, no era yo el que fijaba rumbos... –dije.

Las palabras se asentaron en mí. Me volví a mirar a Leslie.

Era motivo de bromas entre los dos: Leslie, que no tiene sentido de orientación en tierra, se orienta mejor que yo cuando estamos en el aire.

–La navegante soy yo –aclaró ella, sonriendo.

–Cree estar bromeando –dijo Pye–, pero tú no habrías podido llegar sin su ayuda, Richard. ¿Lo sabías?

–Sí –respondí–. A mí me fascinan las percepciones extrasensoriales, los viajes astrales y las experiencias próximas a la muerte. Yo leo los libros, los estudio página a página hasta bien entrada la noche. Leslie rara vez los hojea, pero lee la mente, ve nuestro futuro...

–¡No es cierto, Richard! ¡Soy escéptica y bien lo sabes! Siempre he sido escéptica con respecto a tus alter-mundos...

–¿Siempre? –observó Pye.

–Bueno... he descubierto que a veces él tiene razón –confesó Leslie–. Aparece con alguna idea descabellada y a la mañana siguiente, al año siguiente, la ciencia descubre lo mismo. Así he aprendido a tratar con cierto respeto esas ideas suyas, por ridículas que parezcan. Y aunque la ciencia no le diera la razón, aun así me encantarían esos extraños giros que describe su mente, porque tiene un punto de vista fascinante. Pero yo siempre he sido la práctica...

—¿Siempre? —apunté yo.

—Oh, eso no cuenta —replicó Leslie, leyéndome la mente—. Era muy pequeña. Y como no me gustaba ese tipo de cosas, las interrumpí.

—Leslie se refiere a que estaba dotada de una intuición tan intensa que se asustaba —intervino Pye—. Por eso bloqueó su don y hace lo posible por mantenerlo bloqueado. Los escépticos prácticos no gustan de asustarse con poderes extraños.

—Mi querida navegadora —dije—, ¡no me extraña! No fuiste tú la que quiso volver cuando desapareció Los Angeles. ¡Fui yo! No soy yo quien puede operar el acelerador en un hidroavión que no se ve. ¡Eres tú!

—No seas tonto —protestó Leslie—. No estaría piloteando este hidroavión, no estaría siquiera volando si no fuera por ti. Y el viaje a Los Angeles fue idea tuya.

Eso era cierto. Había sido yo quien tentara a Leslie a abandonar la casa y las flores con esa invitación a Spring Hill. Pero para nosotros las ideas son vida: desarrollo y goce, tensión y alivio. De la nada surgen preguntas tentadoras, excitantes respuestas que danzan allá adelante, instándonos a resolver el acertijo, a expresarlo de algún modo, a ir allá, hacer esto, ayudar aquí. Ninguno de los dos se resiste a las ideas.

De inmediato me pregunté si podríamos descubrir por qué.

—¿De dónde vienen las ideas, Pye? —pregunté.

—Diez grados a la izquierda —dijo ella.

—¿Cómo? —me extrañé—. No... *las ideas*. Se...

aparecen en los momentos más extraños. ¿Por qué?

—La respuesta a cualquier pregunta que puedas formular está en el diseño —respondió—. Gira veinte grados a la izquierda, ahora, y acuatiza.

Nuestra avanzada amiga me despertaba la misma sensación que, en otros tiempos, los instructores de vuelo: mientras estuvieran conmigo en el avión, yo ejecutaba sin miedo cualquier acrobacia que me indicaran.

—¿Te parece bien, wookie? —pregunté a mi esposa—. ¿Estás dispuesta a seguir en esto?

Ella asintió, ansiosa de otra aventura.

Giré el anfibio como Pye me lo había indicado; verifiqué que las ruedas estuvieran subidas y los flaps abajo, disminuí la potencia.

—Dos grados a la derecha, busca esa banda de color amarillo intenso, allá adelante, bajo el agua... Toca la potencia un poquito —indicó nuestra guía—. ¡Así! ¡Perfecto!

El lugar donde nos detuvimos parecía el infierno en horas extra. En las calderas bramaban las llamas, monstruosos hervidores de cosas fundidas forcejeaban arriba, en grúas móviles, y giraban poderosamente a través de una atestada planicie de acero: una hectárea y media bajo techo.

—Oh, caramba... —exclamé.

Un vagón eléctrico, del tamaño de un carrito de golf, rodó hasta el corredor más próximo a nosotros. De él descendió una joven esbelta, vestida de mono y con casco, y se encaminó en nuestra dirección. Si saludó, sus palabras se perdieron entre el estruendo y los rugidos de hierro y fuego. Se inclinó una caldera, un alarido-tornado de chispas azules reventó entre las lingoteras que estaban detrás de ella, convirtiéndola en una silueta a contraluz, en tanto se acercaba con celeridad.

Era una cosita delicada: rizos rubios bajo el casco, ojos azules atentos.

– Qué lugar éste, ¿verdad? – dijo, a modo de presentación, gritando para hacerse oír. Hablaba como si estuviera orgullosa de ese sitio. Nos entregó sendos cascos –. No creo que los necesitéis – dijo –, pero si la gerencia nos sorprende sin ellos...

Con una gran sonrisa, se cruzó el cuello con un dedo, perversa.

– Pero no podemos tocar – comencé.

Ella sacudió la cabeza.

– No importa. Aquí podéis.

En efecto: no sólo pudimos tocar los cascos, sino que nos sentaban bien. Ella nos indicó que la siguiéramos.

¿Quién es ésta?, miré a Leslie. Ella comprendió mi pensamiento, se encogió de hombros y meneó la cabeza.

– Oye, ¿cómo te llamas? – grité.

La joven se detuvo por un segundo, sorprendida.

– ¡Me dais tantos nombres, todos tan formales! – Se encogió de hombros con una sonrisa. – Podéis llamarme Tink.

Enérgica, nos condujo hacia una rampa, en el costado más próximo de ese lugar gigantesco; era una guía de turismo en funciones.

– Ahora bien – dijo –, el material baja por las cintas móviles hasta los cernidores de afuera. Después se lo lava en el trayecto hacia la tolva principal...

Leslie y yo nos hacíamos preguntas con los ojos. ¿Acaso debíamos saber de qué trataba todo aquello?

– ...se lo arroja en uno de los crisoles (en esta planta hay veinticinco) y se lo calienta a mil quinientos grados. Después, una grúa lo levanta y lo trae hasta aquí.

–¿De qué estás hablando? –pregunté.

–Si reservas tus preguntas para después –fue su réplica–, probablemente responderé casi todas en el trayecto.

–Pero nosotros no...

Ella señaló.

–En el puente grúa –continuó–, se inyecta gas xenón a la fusión; después se la vierte en estos moldes, que están recubiertos con veinte micrones de un material que facilita el retiro de los lingotes de sus moldes.

Los lingotes no eran de acero, sino de una especie de vidrio; a medida que se enfriaban pasaban del anaranjado a un blanco traslúcido.

A lo largo del costado había equipos en rayos, cubos y romboides, tal como los tallistas cortan los diamantes en ángulos y facetas.

–Aquí se facetan y se energizan los bloques –dijo Tink, mientras pasábamos apresuradamente–. Cada uno es diferente de los otros, por supuesto.

Nuestra guía del misterio nos hizo marchar por una rampa curva hasta una escotilla.

–Y ésta es la planta de acabado –nos mostró, más orgullosa que nunca–. Esto es lo que deseabais ver.

Las puertas se abrieron deslizándose en cuanto nos acercamos y se cerraron en cuanto hubimos pasado.

El estruendo desapareció; aquel lugar estaba silencioso como el destino e igualmente ordenado y limpio. Desde una enorme pared hasta la otra había bancos de trabajo cubiertos de fieltro; en cada mesa descansaba una forma de cristal pulido, más arte silente que industria pesada. La gente trabajaba con cuidado, sin decir palabra, ante las mesas. ¿La pulcra sala de Ensamblado de Naves Espaciales?

Aminoramos el paso y nos detuvimos junto a una mesa donde un joven corpulento, sentado en una silla giratoria frente a algo que parecía un torno revólver ultramoderno, inspeccionaba un bloque de cristal más grande que yo. La masa era tan transparente que resultaba apenas visible, una sugerencia en el espacio. Sin embargo, sus planos y ángulos chisporroteaban fascinación. Dentro del cristal vimos una intrincada estructura de luz coloreada, miniláseres embutidos, una delicada red de filamentos refulgentes. El hombre presionó algunas teclas en la máquina y en el cristal se produjeron cambios sutiles.

Toqué a Leslie, señalando el bloque con un gesto de perplejidad. Trataba de recordar. ¿Dónde había visto algo así?

—Está comprobando que todas las conexiones estén terminadas —informó Tink, reduciendo la voz a un murmullo—. Basta un filamento suelto para que toda la unidad falle.

Ante esas palabras, el hombre se volvió y nos sorprendió observando.

—¡Hola! —saludó, cálido como un viejo amigo—. ¡Bienvenidos!

—Hola —respondimos.

—¿Te conocemos? —La pregunta fue mía.

El sonrió. De inmediato me cayó simpático.

—Conocerme, sí. Recordarme, probablemente no. Me llamo Atkin. Una vez fui tu montador aeronáutico. En otra oportunidad, tu maestro de Zen... Oh, no creo que te acuerdes.

Se encogió de hombros, sin preocuparse en absoluto. Yo busqué a tientas las palabras.

—¿Y qué... qué haces aquí?

—Echa un vistazo. —Señaló una mirilla binocular montada cerca del cristal.

Leslie se asomó a mirar.

—¡Oh, caramba! —exclamó.

—¿Qué?

—Es... ¡No es vidrio, Richie! ¡Es ideas! ¡Es como una telaraña! ¡Están todas conectadas!

—Cuéntame.

—No está en palabras —replicó ella—. Supongo que es preciso expresarlas como se pueda.

—¿Qué palabras usarías? Prueba conmigo.

—Oh —susurró ella, fascinada—. ¡Mira *eso*!

—Habla —pedí—, por favor.

—Bueno, haré el intento. Es acerca de... lo difícil que resulta tomar las decisiones correctas y lo importante que es aferrarse a lo mejor que sabemos... ¡y que en realidad *sabemos* qué es lo mejor! —Se disculpó ante Atkin.— Ya sé que no le hago justicia. ¿Nos leerías esta sección plateada?

Atkin volvió a sonreír.

—Lo estás haciendo muy bien —aseguró, acercando los ojos a otra mirilla—. Dice: *Un diminuto cambio hoy nos lleva a un mañana dramáticamente distinto. Hay grandiosas recompensas para quienes escogen las rutas altas y difíciles, pero esas recompensas están ocultas por años. Toda elección se hace en la despreocupada ceguera, sin garantías del mundo que nos rodea.* Y junto a ésa, ¿ves? *La única manera de evitar todas las elecciones que nos asustan es abandonar la sociedad y volverse ermitaño, y ésa es una elección que nos asusta.* Y ésa está conectada con: *El carácter se gesta siguiendo nuestro más elevado sentido de lo correcto y confiando en los ideales sin estar seguro de que funcionen. Uno de los desafíos de nuestra aventura en la tierra consiste en elevarnos por encima de los sistemas muertos (guerras, religiones, naciones, destrucciones), negarnos a formar parte de ellos y expresar, en cambio, el yo más alto que sepamos ser.*

—¡Es maravilloso! —dijo Leslie, siempre contemplando el cristal—. ¡Oh, Richie, escucha éste! *Nadie puede resolver los problemas de alguien cuyo problema consiste en que no quiere tener los problemas resueltos.* ¿Lo expresé bien? —preguntó a Atkin.

—¡A la perfección! —aseguró él.

Leslie volvió a mirar el interior del cristal, complacida de ver que empezaba a comprender.

84

—Por muy calificados que estemos, por mucho que lo merezcamos, jamás alcanzaremos una vida mejor mientras no podamos imaginarla y nos permitamos alcanzarla. ¡Sabe Dios si eso es verdad! ¡Así son las ideas cuando una cierra los ojos! —Sonrió a Atkin su gran admiración.— Todo está allí, todas las conexiones, todas las respuestas a cualquier pregunta que puedas formular al respecto. Puedes seguir todas las conexiones en la dirección que prefieras. ¡Qué bello es!

—Gracias —dijo Atkin.

Me volví hacia nuestra guía.

—¿Tink?

—¿Sí?

—¿Las ideas provienen de una fundición? ¿De una acería?

—No pueden ser aire, Richard —replicó, severa—. ¡No podemos usar algodón de azúcar! Una persona confía su vida a lo que cree. Sus ideas tienen que sostenerla; tienen que resistir el peso de sus propios cuestionamientos y el peso de cien, de mil, de diez mil críticos, cínicos y destructores. ¡Sus ideas deben resistir la tensión de todas las consecuencias que acarrean!

Meneé la cabeza ante aquel extenso cuarto, con sus cien mesas. Es cierto que las mejores ideas siempre nos llegan completas y terminadas, pero no estaba dispuesto a aceptar que provinieran de...

—Ya duele bastante fracasar cuando renunciamos a aquello en que creemos —dijo Tink—, pero más aún duele cuando las ideas en las que hemos basado la vida resultan equivocadas. —Me frunció el ceño, pura, resuelta.— ¡Por supuesto que las ideas provienen de una fundición! Y no de acero. El acero cedería.

—¡Esto es maravilloso! —dijo Leslie, nuevamente absorta en el cristal, con el ojo pegado a la mirilla como un comandante de submarino—. Escucha esto: *El comercio es idea y elección expresadas. Mira en este instante a tu alrededor: todo cuanto ves y tocas fue, anteriormente, idea invisible, hasta que alguien eligió darles ser.* ¡Qué pensamiento! *No podemos dar dinero a un yo alternativo necesitado, en otras apariencias de tiempo y espacio, pero podemos darle ideas para que él las convierta en fortunas, si así lo quiere.* ¡Ven a ver, wookie!

Me cedió su lugar ante la mirilla, mientras se volvía hacia Atkin.

—¡Estoy estupefacta! —confesó—. ¡Todo aquí es tan exacto, está tan bien pensado!

—Hacemos lo posible —dijo él, modestamente—. Esta es un desafío, una idea medular; se llama *Elecciones*. Si una idea medular tiene fallas, tienes que detener toda la marcha de tu vida hasta que la aclaras. Nuestra misión no es deteneros, sino ayudaros a seguir adelante.

Su voz se esfumó en cuanto apliqué el ojo al visor, a tal punto capturaron mi atención los diseños interiores del cristal

Eran, a un tiempo, extraños y familiares. Resultaba extraño que la matriz de rayos luminosos y planos iridiscentes cambiara de inmediato de color a pensamiento. Y era familiar porque yo estaba seguro de haber visto eso anteriormente, de haber observado la misma imagen tras los ojos cerrados, atacado por ideas meteóricas.

¡Cómo arrojamos redes a las ideas!, pensé. En cualquier lenguaje, del árabe al zulú, de la caligrafía a la taquigrafía, de las matemáticas a la música, del arte a la piedra tallada, todo, desde la Teoría de los Campos Unificados a una maldición, desde un clavo oxidado a un satélite en órbita, todo lo expresado es una red alrededor de cierta idea.

Un esplendor violáceo me atrajo la vista. Expresé la idea en voz alta, lo mejor que pude.

—*Lo malo no es lo peor que puede pasarnos. ¡Lo peor que puede pasarnos es NADA* —Consulté con Atkin.— ¿Estoy cerca?

—Palabra por palabra —confirmó él.

Nuevamente en el cristal, el violáceo se fundió en añil bajo la lente.

–*Una vida fácil no nos enseña nada. Al fin de cuentas, lo que vale es el aprendizaje: lo que hemos aprendido y cómo hemos crecido.*

–Así es –aprobó Atkin.

En una de las caras había una línea esmeraldina que se disparaba como una flecha a través del plano de diamante.

–*Podemos tener excusas o podemos tener salud, amor, longevidad, comprensión, aventura, dinero, felicidad. Diseñamos nuestra vida mediante el poder de nuestras elecciones. Cuando más indefensos nos sentimos es cuando hemos elegido por abandono, cuando no hemos diseñado la vida con nuestras propias manos. ¡Es lo que decías a la joven Leslie!*

Un tercer nivel conectaba los dos planos, como si reforzara la estructura.

–*Cuando comenzamos una vida, a cada uno se le da un bloque de mármol y las herramientas necesarias para convertirla en escultura.* –Flotando en sentido paralelo:– *Podemos arrastrarlo tras nosotros, intacto; podemos reducirlo a grava; podemos darle una forma gloriosa.* –A continuación, paralelo:– *Se nos dejan a la vista ejemplos de todas las otras vidas: obras de vida terminadas y sin terminar, que nos sirven de guía o de advertencia.* –Conectando la última con la primera:– *Cerca del final, nuestra escultura está casi terminada; entonces podemos pulir y lustrar lo que comenzamos años antes. Es entonces cuando hacemos nuestros mayores progresos, pero para eso es necesario ver más allá de las apariencias de la vejez.*

Yo observaba, absorto como un picaflor hundido en la flor: caí en el silencio.

Generamos nuestro propio medio. Obtenemos exactamente lo que merecemos. ¿Cómo resentirnos contra la vida que nosotros mismos nos hemos creado? ¿A quién culpar, a quién elogiar, sino a nosotros?

¿Quién puede cambiarla a voluntad, salvo nosotros?

Hice girar el visor y encontré corolarios superpuestos en cada ángulo diferente.

Cualquier idea poderosa es absolutamente fascinante y absolutamente inútil hasta que decidimos utilizarla.

Por supuesto, pensé. Lo excitante de las ideas es llevarlas a la práctica. En cuanto lo probamos por cuenta propia, las botamos lejos de la costa, dejan de ser quizá-sí para convertirse en audaces zambullidas en ríos blancos, tan peligrosos como exaltantes.

En cuanto me aparté de la mirilla, el bloque de cristal depositado en la mesa se convirtió en una curiosidad artística. Sentía su cálido potencial, pero perdida ya la captación de lo que representaba, del entusiasmo y la potencia a la espera de ser aplicada. Si había una idea en la mente, no existía modo de desecharla.

–...tal como las estrellas, los cometas y los planetas atraen el polvo con la gravedad –estaba diciendo Atkin a Leslie, encantado de conversar con alguien tan fascinada por su obra–, así nosotros somos centros de pensamiento que atraen ideas de todo peso y todo tamaño, desde destellos intuitivos a sistemas tan complejos que se requiere toda una vida para explorarlos. –Se volvió hacia mí.– ¿Terminaste?

Asentí. Sin siquiera despedirse, él tocó una tecla de su máquina y el cristal desapareció. El me leyó la expresión.

–No ha desaparecido –dijo–. Otra dimensión.

–Ya que estáis aquí –dijo Tink–, ¿hay algo que deseéis pasar a algún otro aspecto de vosotros?

Parpadeé.

–¿A qué te refieres?

–¿Qué habéis aprendido que podéis dar a un yo diferente como base para construir? Si quisierais cambiar una vida, permitir que alguien desenvolviera un regalo mental vuestro, ¿cuál sería?

A la mente me vino una máxima:

—No hay desastre que no pueda convertirse en bendición, ni bendición que no pueda tornarse desastre.

Tink echó un vistaso a Atkin y le sonrió con orgullo.

—Qué bello pensamiento—. ¿Os ha dado resultados?

—¿Que si nos ha dado resultados? —dije—. ¡Tiene la pintura gastada de tanto que lo hemos usado! Ya no juzgamos lo bueno y lo malo tan apresuradamente como antes. Nuestros desastres han sido algunas de las mejores cosas que jamas nos pasaron. Y lo que jurábamos eran bendiciones resultaron ser de lo peor.

—¿Qué es lo mejor y qué lo peor? —preguntó Atkin, como al desgaire.

—Lo mejor nos hace felices a largo plazo; lo peor nos hace desdichados a largo plazo.

—¿Y cuánto abarca el largo plazo?

—Años enteros. Toda una vida.

El asintió con la cabeza y no dijo más.

—¿De dónde sacáis vuestras ideas? —preguntó Tink. Lo hizo con una sonrisa, pero percibí que, por detrás de ella, la pregunta le resultaba importantísima.

—¿No te reirás?

—A menos que sea divertido.

—Del hada del sueño —dije—. Las ideas nos vienen cuando estamos profundamente dormidos o cuando empezamos a despertar y apenas vemos algo como para escribir.

—También está el hada de las duchas —dijo Leslie—, y el hada de los paseos, y la de los viajes largos; el hada de la natación y la de la jardinería. Las mejores ideas nos llegan en los momentos menos adecuados, cuando estamos empapados, cubiertos de barro, cuando no tenemos papel o cuandoquiera resulta muy difícil anotarlas. Pero como nos son importantísimas, logramos retener una buena parte. Si alguna vez conociéramos personalmente al hada de las ideas, ese tesorito, là aplastaríamos a abrazos de tanto que la amamos.

Ante eso, Tink se cubrió el rostro con las manos y estalló en lágrimas.

–¡Oh, gracias, gracias! –sollozó–. Me esfuerzo mucho por ayudar... ¡Yo también os amo!

Quedé atónito.

–*¿Tú eres el hada de las ideas?*

Ella asintió, siempre con el rostro oculto.

–Tink es quien dirige este lugar –dijo Atkin, en voz baja, reacomodando los parámetros de su máquina en cero–. Y se toma muy en serio el trabajo.

La joven se limpió los ojos con la punta de los dedos.

–Ya sé que me dais esos apodos tontos –dijo–, pero al menos prestáis atención. Os extraña que, cuantas más ideas uséis, más obtenéis, ¿verdad? Eso es porque el hada de las ideas sabe que os interesa. Y como os interesa, también vosotros le interesáis a ella. Siempre digo a todos, aquí, que debemos empeñarnos a fondo, porque estas ideas no están flotando en el espacio cero, ¡sino llegando a los objetivos! –Buscó su pañuelo.– Perdonadme las lágrimas; no sé qué me atacó. Atkin, quiero que te olvides de esto.

El la miró sin sonreír.

–¿Qué me olvide de qué, Tink?

Ella se volvió hacia Leslie para explicar, apresuradamente:

–Debéis saber que no hay en esta planta una persona que no sea mil veces más sabia que yo...

–La clave está en el *encanto* –aclaró Atkin–. Todos hemos sido maestros; nos gusta este trabajo y, por momentos, no somos demasiado torpes con él. Pero ninguno de nosotros es tan encantador como Tink. Sin encanto, la mejor idea del universo es vidrio muerto; a nadie le interesará. Pero cuando se obtiene una idea del hada del sueño, es tan encantadora que uno no puede resistir y allá sale, a la vida, a cambiar mundos.

Como estas dos personas nos pueden ver, pensé, ambos deben de ser nosotros alternativos, aspectos que eligieron diferentes senderos en el esquema. Aun así me parecía increíble. ¿Que el hada de las ideas era *nosotros*? ¿Diferentes planos de nosotros, dedicados a pasar vidas enteras dando claridad cristalina al conocimiento, con la esperanza de que nosotros lo viéramos en nuestro mundo?

En ese momento, una máquina no más grande que un perro ovejero pasó zumbando sobre su senda de caucho, con un lingote en blanco entre los brazos. Haciendo chirriar la goma bajo el peso, depositó cuidadosamente el cristal en la mesa de Atkin y lo soltó. Luego emitió dos señales sónicas, suavemente, y retrocedió hacia el pasillo para marcharse por donde había venido.

–De este lugar –dije–... ¿todas las ideas, las invenciones, las soluciones?

–No todas –dijo Tink–. Las respuestas que uno obtiene de la propia experiencia, no. Sólo las extrañas, las que sobresaltan y sorprenden, aquéllas con las que uno tropieza cuando no está hipnotizado por la vida diaria. No hacemos sino tamizar infinitas posibilidades para hallar la que os pueda gustar.

–¿Las ideas para escribir también? –pregunté–. ¿Las ideas para libros? *¿Juan Salvador Gaviota* salió de aquí?

–La historia de la gaviota era perfecta para ti –replicó ella, con el ceño fruncido–, pero tú eras un escritor principiante y no querías escuchar.

–¡Pero si estaba escuchando, Tink!

Sus ojos lanzaron un destello.

–¡No me digas que estabas escuchando! Querías escribir, pero sólo si no tenías que decir nada demasiado extraño. ¡Me volví loca pára llamarte la atención!

—¿Loca?

—Tuve que recurrir a una experiencia psíquica —dijo aquella almita, reviviendo su frustración—, y no me gusta hacerlo. Pero si no te hubiera gritado el título en voz alta, si no hubiera hecho pasar la historia como una película delante de tu nariz, ¡el pobre Juan Salvador habría estado condenado a la nada!

—No gritaste.

—Bueno, ésa fue mi sensación, después de todo lo que soporté para llegar a ti.

¡Conque había sido la voz de Tink la que oyera! Aquella noche oscura, hace tanto tiempo, no a gritos, sino calma como ninguna: *Juan Salvador Gaviota*. Estuve a punto de morir de susto al oír ese nombre donde no había nadie que lo pronunciara.

—Gracias por creer en mí —dije.

—De nada —dijo, ablandándose. Levantó la vista hacia mí, solemne—. Las ideas flotan a tu alrededor, pero con mucha frecuencia no las ves. Cuando buscas inspiración, lo que buscas son ideas. Cuando rezas pidiendo orientación, pides ideas que te muestren el rumbo. ¡Pero tienes que prestar atención! Y a ti te corresponde poner las ideas en funcionamiento.

—Sí, señora —murmuré.

—*Juan Salvador* fue la última idea-para-libro que recibiste de mí por medios psíquicos. Espero que lo tengas en cuenta.

—Ya no necesitamos fuegos artificiales —le aseguré—. Confiamos en ti.

Tink irradió una sonrisa refulgente.

Atkin, riendo entre dientes, volvió a su mesa de trabajo.

—Salud, vosotros dos —dijo—. Hasta la próxima vez.

—¿Volveremos a veros? —Leslie, en su mente, ya alargaba la mano hacia el acelerador del avión.

La directora de la fundición de ideas se tocó la comisura de un ojo.

—Por supuesto. Mientras tanto, pegaré notas a todos los pensamientos que enviemos. Acordaos de no despertar demasiado rápido. ¡Y de dar muchos paseos, nadar bastante, daros duchas a montones!

Nos despedimos con la mano y la habitación se derritió, se derrumbó en el caos familiar. Un momento después, sin duda alguna, estábamos una vez más en el Avemarina, elevándonos desde el agua, con la mano de Leslie sobre la palanca de potencia. Por primera vez desde el comienzo de esa extraña aventura, despegamos inundados de placer y no de pena.

—¡Qué alegría, Pye! —dijo Leslie—. ¡Gracias!

—Me alegro de haber podido haceros felices antes de partir.

—¿Te vas? —pregunté, súbitamente alarmado.

—Por un tiempo —dijo—. Ya sabéis cómo hallar los aspectos que deseáis conocer, los lugares de aterrizaje para vosotros. Leslie sabe cómo continuar cuando llega el momento de partir. Y tú también lo sabrás, Richard, cuando aprendas a confiar en tu percepción interior. No os hace falta ningún guía.

Sonrió como sonríen los instructores de vuelo a los estudiantes antes de enviarlos a volar solos.

—Las posibilidades son infinitas. Dejaos atraer por lo que os importa más y explorad juntos. Ya volveremos a vernos.

Una sonrisa, un azul destello de láser, y Pye desapareció.

9

—Ya no parece tan cálido sin ella, ¿verdad? —comentó Leslie, observando el diseño—. ¿No lo ves más oscuro?

Así era. El mar, antes chispeante, se había tornado lúgubre allá abajo. Hasta los colores habían cambiado. Los suaves tonos pastel, los plateados, los dorados, habían dado paso a carmesíes y borravinos; los senderos se habían convertido en carbón.

Me moví en el asiento, inquieto.

—Hubiera querido tener tiempo de hacerle más preguntas antes de que se fuera.

—¿Por qué estará tan segura de que podemos hacer esto sin ayuda? —preguntó Leslie.

—Si es una nosotros avanzada, ha de saberlo.

—Ajá.

—Podríamos elegir un lugar y ver qué ocurre, ¿no te parece?

Ella asintió:

—Pero quiero hacer lo que Pye dijo: elegir algo importante, buscar lo que pesa más.

Cerró los ojos, concentrada! Minutos después los abrió.

—¡Nada! Nada me atrae. ¿No es extraño? Déjame pilotear y prueba tú.

De inmediato me sentí rígido y tenso. No es miedo, pensé. Es cautela, la simple tensión de cualquier humano del siglo XX.

Aspiré hondo, cerré los ojos, me relajé por un instante y de pronto me atacó la desesperación por descender.

—¡Corta la potencia! ¡Ahora! ¡Acuatiza!

Nos detuvimos bajo el claro de luna, a pocos metros de una tosca tienda de múltiples ángulos. Su techo era de cuero cosido; a lo largo de las costuras chorreaba la pez; las paredes, de pesado color de tierra, adquirían reflejos de cereza a la luz de las antorchas de centinela. Desde el desierto, a nuestro alrededor, provenía el resplandor de cien fogatas encendidas en la arena, voces alcohólicas, rudas y fuertes, pataleos y relinchos de caballos.

A la entrada de la tienda había dos guardias a los que habríamos tomado por centuriones, si no hubieran estado tan harapientos. Cubiertos de cicatrices, maltrechos, eran hombres bajos, vestidos con túnicas que les sentaban mal, ceñidas con bronce; llevaban cascos y botas de cuero y hierro para protegerse del frío, espadas cortas y dagas al costado.

Fuego y oscuridad, me estremecí. ¿En qué habíamos caído por mi culpa?

Sin dejar de observar a los guardias, giré la cabeza hacia Leslie y la tomé de la mano. Los hombres no la veían; de lo contrario, ¡qué bocado habría sido para ellos!

–¿Tienes alguna idea de lo que hacemos aquí? –susurré.

–No, querido –respondió ella, también susurrando–. El aterrizaje corrió por tu cuenta.

A poca distancia estalló una riña; los hombres bramaban y se debatían. Nadie nos prestó atención.

–Supongo que la persona a quien debemos ver está en la tienda –dije.

Ella le echó una mirada aprensiva.

–Si es un tú alternativo no hay de qué preocuparse, ¿verdad?

–Tal vez no hace falta que conozcamos a éste. Creo que ha habido un error. Vámonos.

–Richie, tal vez esto es lo que importa más. Tiene que haber una razón para que estemos aquí, algo que debemos aprender. ¿No sientes curiosidad por saber qué es?

–No –dije. Sentía tanta curiosidad por el ocupante de la tienda como por conocer la araña de una tela de treinta metros–. Esto me da mala espina.

Ella vaciló un momento y echó una mirada en derredor, preocupada.

–Tienes razón. Un vistazo y nos vamos. Sólo quiero ver quién...

Antes de que pudiera detenerla, se deslizó a través de la pared de la tienda. Un segundo después oí su alarido.

Corrí detrás de ella y vi que una silueta bestial le buscaba el cuello, con un cuchillo centelleante en la mano.

–¡NO!

Salté hacia adelante en el momento mismo en que el atacante de Leslie caía a través de ella, sorprendido; el puñal repiqueteó suavemente en la alfombra.

El hombre era bajo, cuadrado y muy veloz. Recuperó su arma antes de que cesara de rodar y se levantó como el rayo para arrojarse hacia mí, sin un ruido. Me hice a un lado lo mejor que pude, pero él captó mi movimiento y me golpeó directamente en el vientre.

Me mantuve allí y lo dejé pasar a través de mi cuerpo, como una roca a través de la llama, hasta que se estrelló contra uno de los postes que sostenían la tienda. La madera crujió, mientras el techo se curvaba hacia adentro.

Perdido el puñal en el choque, el hombre se apartó del poste girando como un torbellino. Después de sacudir la cabeza, sacó una segunda daga de su bota y se lanzó al ataque de un salto. Voló a través de mí, a la altura del hombro, y aterrizó sobre un escabel de madera, de esquina afilada, haciendo trizas un candelero.

Un momento después estaba nuevamente de pie, con los ojos reducidos a ranuras de cólera, los brazos curvados hacia nosotros como los de un luchador y la daga siempre en la mano. Se arrastró hacia adelante, alerta, inspeccionándome. Apenas llegaba al hombro de Leslie, pero esos ojos expresaban el asesinato.

De pronto se volvió. Aferró el cuello de la blusa de Leslie y tiró de él hacia abajo con la celeridad del relámpago. Después se quedó mirando, atontado, la mano vacía.

— ¡Bueno, basta! —le dije.

Giró en redondo y me apuntó una puñalada a la cabeza.

— *¡BASTA DE VIOLENCIA!* —grité.

Se detuvo, fulminándome con la mirada. Lo que asustaba en esos ojos no era su crueldad, sino su inteligencia. Cuando ese hombre destruía no era por casualidad.

— ¿Sabes hablar? —pregunté, aunque no esperaba que dominara nuestro idioma—. *¿Quién eres?*

Frunció el ceño, respirando con dificultad. Y entonces, para asombro mío, respondió. Cualquiera fuese su idioma, nos comprendíamos.

Se tocó el pecho.

—At-Elah —dijo, orgulloso—. ¡At-Elah, el Azote Divino!

—¿At-Elah? —repitió Leslie—. ¿Atila?

—¿Atila, el huno?

El guerrero sonrió ferozmente ante mi asombro. Luego volvió a entornar los ojos.

—¡Guardia! —ladró.

Uno de los rufianes apostados afuera entró de inmediato, golpeándose el pecho con el puño a manera de saludo.

Atila nos señaló con un gesto.

—No me advertiste que tenía visitas —dijo, con suavidad.

El soldado, con expresión aterrorizada, recorrió el ambiente con la mirada.

—¡Pero si no tienes visitas, oh, Grande!

—¿No hay ningún hombre en este cuarto? ¿No hay ninguna mujer?

—¡No hay nadie!

—Eso es todo. Lárgate.

El guardia hizo nuevamente el saludo, giró en redondo y marchó apresuradamente hacia la abertura de la tienda.

Atila fue más veloz. Su mano describió una turbulencia, como la de una cobra al atacar, y sepultó la daga en la espalda del guardia, con un ruido sordo.

El efecto fue asombroso, como si el golpe, en vez de matar al hombre, lo hubiera partido en dos. El cuerpo cayó a la entrada, casi sin hacer ruido, mientras el fantasma del hombre marchaba hasta su puesto, sin saber que había muerto.

Leslie me miró, horrorizada.

El asesino arrancó su daga del cadáver.

—¡Guardia! —llamó. Apareció el otro soldado maltrecho—. Llévate esto.

Oímos el golpe del saludo y el ruido del cuerpo, llevado a la rastra.

Atila volvió hacia nosotros, deslizando el cuchillo húmedo en la vaina de la bota.

—*¿Por qué?* —dije.

El se encogió de hombros y levantó la cabeza, desdeñoso.

—Si mi guardia no ve lo que yo veo en mi propia tienda...

—No —dije—. ¿Por qué eres tan *cruel*? ¿Por qué tanto asesinato, tanta destrucción? No sólo la de este hombre; ¡destruyes ciudades completas, pueblos enteros, sin motivo alguno!

Estaba lleno de desprecio.

—¡Cobarde! ¿Preferirías que yo ignorara las agresiones de un imperio maligno? ¿A los imperialistas romanos y sus títeres lacayos? ¡Infieles! ¡Dios me dice que limpie de infieles la tierra y yo obedezco la palabra de Dios! —Sus ojos refulgían.— *Llorad y lamentaos, tierras del Poniente, porque contra vosotros descargaré mi azote; sí, el azote de Dios matará a vuestros hombres; bajo la rueda de mi carruaje caerán vuestras mujeres, y vuestros hijos bajo los cascos de mi caballo.*

—La palabra de Dios —dije—. Sílabas vacuas, más poderosas que las flechas, porque nadie se atreve a enfrentárseles. ¿Con qué simplicidad roban los astutos el poder a los tontos!

Me miró con los ojos muy abiertos.

—¡Has pronunciado *mis* palabras!

—Primero vuélvete inmisericorde —proseguí, horrorizado de lo que yo mismo estaba diciendo—. Después proclama que eres el Azote de Dios; tus ejércitos se henchirán con aquellos que son demasiado obtusos para imaginar a un Dios amante, demasiado asustadizos para desafiar a uno malvado. Grita que Dios promete mujeres, naranjas, vino, todo el oro de Persia cuando mueran con la sangre de los infieles en sus espadas, y tendrás una fuerza que convertirá las ciudades en escombros. Para tomar el poder, pronuncia la palabra de Dios, pues esa palabra es lo que mejor cambia el miedo por furia contra cualquier enemigo que tú elijas.

Nos mirábamos fijamente, Atila y yo. *Eran* sus propias palabras. También habían sido las mías. El lo sabía; yo también.

¡Qué fácil había sido verme a mí mismo en Tink, en Atkin, en su mundo de suave creatividad! ¡Qué difícil era ahora reconocerme en ese revoltijo de odio! Yo llevaba tanto tiempo con ese antiguo combatiente enjaulado dentro de mí, encadenado en su mazmorra portátil, que me negaba a reconocerlo cuando lo veía cara a cara.

El me volvió la espalda, se alejó algunos pasos y se detuvo. No podía matarnos, no podía obligarnos a salir. Su única alternativa era imponerse mentalmente.

—¡Se me teme como se teme a Dios! —advirtió.

¿Qué pasa con la inteligencia cuando cree en las mentiras que inventa para otros? ¿Se convierte en locos remolinos que desaparecen por trasnochados desagües?

Por fin habló Leslie, con la voz cargada de tristeza.

—Si crees que el poder proviene del miedo —dijo—, te encierras con quienes comercian con el miedo. No es gente muy brillante. ¡Qué tonta elección para un hombre dotado con tu mente! Si al menos la aprovecharas para...

—¡MUJER! —rugió—. ¡SILENCIO!

—Eres temido por quienes honran el miedo —continuó ella, con suavidad—. Podrías ser amado por quienes honran al amor.

El acomodó su silla y tomó asiento frente a mí, de espaldas a Leslie; en todas las líneas de su rostro se reflejaba una amargo enojo, en tanto citaba sus escrituras:

—Dice Dios: *Derribaré tus altas torres y tus murallas serán reducidas a ruina, y ni una piedra de tu ciudad se mantendrá sobre otra.* Son las órdenes de Dios. No tengo órdenes de amar.

Si la cólera podía hervir, ese hombre era su caldero.

—Odio a Dios —dijo—. Odio lo que El ordena. ¡Pero no hay otro Dios que hable!

No respondimos.

—Tu Dios de amor nunca levanta Su espada contra mí, nunca muestra Su rostro. —Se levantó de un salto, elevó la maciza silla en una mano y la estrelló en el suelo, deshaciendo la madera en astillas.— Si es tan poderoso, ¿por qué no Se interpone en mi camino?

El enojo es miedo, comprendí. Toda persona enojada es una persona asustada, que teme perder algo. Y en mi vida había visto a otra persona tan enojada como ese espejo de mi propio luchador salvaje, mi yo interior preso tras barras y candados.

—¿Por qué tienes tanto miedo? —pregunté.

Me acechaba, con fuego en los ojos.

—¡Cómo te atreves! —estalló—. ¡Te atreves a decir que At-Elah *tiene miedo*! ¡Te haré cortar en pedazos para alimento de los chacales!

Apreté los puños, desesperado.

—¡Pero si no puedes tocarme, At-Elah! No puedes hacerme daño, como tampoco yo a ti. ¡Soy tu propio espíritu, llegado desde dos mil años hacia adelante, en el futuro!

—¿No puedes hacerme daño? —dijo.

—¡No!

—¿Me lo harías si pudieras?

—No.

Lo pensó por un momento.

—¿Por qué no? ¡Soy la Muerte, el Azote de Dios!

—Basta de mentiras, por favor —le dije—. *¿Por qué tienes tanto miedo?*

Si la silla no hubiera estado reducida a pedazos, la habría destrozado entonces.

—*¡Porque estoy solo en un mundo demente!*

102

−aulló−. ¡Dios es *malvado*. Dios es *cruel*! Y yo debo
ser el más cruel de todos para ser rey. ¡Dios ordena:
mata o muere!

De pronto suspiró hondamente, pasada la furia.

−Estoy solo entre monstruos −dijo, en voz tan
baja que apenas oímos−. Nada tiene sentido.

−Es demasiado triste −dijo Leslie, angustiada−.
Basta.

Giró sobre sus talones y se marchó a través de la
pared de la tienda. Yo permanecí un momento más,
observándolo. Era uno de los hombres más salvajes de
la historia, pensé. De haber podido, nos habría matado. ¿Por qué me inspiraba pena?

Seguí a Leslie y la encontré de pie al otro lado
del claro desértico, frente al fantasma del guardia asesinado. A ella la angustia le impedía ver nada; él, hecho una masa de aflicción, veía cargar su cadáver en
una carreta y se preguntaba qué había pasado.

−Tú me ves, ¿verdad? −preguntó a Leslie−. No
he muerto, ¿verdad?, porque estoy... ¡aquí! ¿Has venido para llevarme al paraíso? ¿Eres mi mujer?

Ella no respondió.

−¿Lista para partir? −le pregunté.

El hombre giró violentamente al oír mi voz.

−¡NO! ¡No me llevéis!

−Empuja el acelerador, Leslie −dije.

−Esta vez hazlo tú −replicó ella, con voz can-
sada−. No puedo pensar.

−Sabes que no soy muy bueno para estas cosas.

Ella permaneció inmóvil, como si no me oyera,
mirando el desierto.

Tengo que intentarlo, pensé. Me relajé lo mejor
posible en ese lugar, imaginé el Avemarina a nuestro
alrededor y estiré la mano hacia el acelerador.

Nada.

Gruñón, pensé, ¡vamos!

−¡Mujer! −chilló el huno-espíritu−. ¡Ven aquí!

Mi esposa no se movió. Al cabo de un momento

el hombre marchó hacia nosotros, lleno de brusca resolución. Los mortales no pueden tocarnos, me dije, pero ¿qué pasará con los fantasmas de los guardias bárbaros?

Me interpuse entre Leslie y él.

—No logro que salgamos de aquí —dije a mi esposa, desesperado—. ¡Hazlo tú!

El guardia se lanzó al ataque.

¡Con qué celeridad volvemos atrás cuando se nos amenaza! La antigua mente-Atila se hizo cargo; las perversas habilidades del hombre de la tienda eran mías. Jamás te defiendas; cuando se te ataca, ¡ataca!

Yo también me arrojé, en una fracción de segundo, contra la cara del guerrero; en el último instante me dejé caer para chocar contra él por debajo de las rodillas. Era sólido, sí. Y yo también.

No es limpio golpear por debajo de las rodillas, pensé.

Al diablo con lo limpio, dijo esa mente primitiva.

El hombre cayó por sobre mí y forcejeó para levantarse, un segundo antes de que yo lo golpeara con todas mis fuerzas en la nuca, desde atrás.

Los caballeros no atacan desde atrás.

¡Mata!, vitoreaba el bruto interior.

Mi intención era utilizar la mano como hacha contra la parte inferior de su mentón, pero el mundo se evaporó a mi alrededor, transformado en la atronadora cabina de nuestro hidroavión durante el despegue. ¡Luz! Un cielo limpio barrió con aquella escena oscura.

—¡Basta, Richard! —gritó Leslie.

Detuve mi mano en medio del aire, un momento antes de que desmayara al altímetro. Me volví hacia ella, todavía con ojos de bull-dog.

—¿Estás bien?

Ella asintió con la cabeza, trémula; sin apartar la mano del acelerador, llevó al Avemarina hacia arriba.

—No pensé que podría tocarnos —dijo.

–Era un fantasma. Nosotros también –expliqué–. Allí ha de estar la diferencia.

Me dejé caer en el asiento, exhausto, incrédulo. Atila había convertido todas sus elecciones en odio y destrucción, en nombre de un dios perverso que no existía. *¿Por qué?*

Por un rato volamos en silencio; mis ruedecillas iban reduciendo la marcha después del gran esfuerzo. Por dos veces, como teniente moderno y como antiguo general, me había visto bajo la imagen de un destructor y no sabía por qué. ¿Acaso a los veteranos militares, aun en tiempos de paz, los persigue la idea de lo que pudo haber sido, de lo que pudieron haber hecho?

–¿Atila el Huno, *yo*? –dije–. ¡Sin embargo, comparado con el piloto que incineró a Kiev, Atila era un gatito mimoso!

Leslie quedó pensativa por un largo instante.

–¿Qué significa todo esto? –dijo, al fin–. Sabemos que los acontecimientos son simultáneos, pero ¿evoluciona la *conciencia*? En esta vida, una vez dejaste que el gobierno te preparara para asesino. Ahora eso sería imposible. ¡Has cambiado, has evolucionado!

Me tomó de la mano. –Tal vez Atila sea también parte de mí, parte de todo el que alguna vez ha tenido un pensamiento asesino. Tal vez por eso olvidamos las otras existencias que hemos vivido en el momento de nacer: para comenzar de nuevo, para concentrarnos en hacerlo mejor esta vez.

Hacer mejor ¿qué cosa?, estuve a punto de decir. Pero oí las palabras *expresar el amor* antes de formular la pregunta.

–Tienes razón.

Tenía la sensación de que el hidroavión estaba manchado y sucio desde nuestro último descenso. Abajo centelleaba el agua limpia.

–¿Te molestaría si bajara para un chapuzón? Para lavar a Gruñón.

Ella me miró preguntas.

—Acto simbólico, supongo.

Me besó en la mejilla, adivinándome los pensamientos.

—Mientras no descubras cómo se vive para otra persona, ¿por qué no te haces responsable por la vida de Richard Bach y dejas que Atila responda por la suya?

Tocamos las olas a media potencia y aminoramos la marcha, pero sin detenernos; la llovizna, a setenta y cinco kilómetros por hora; fuentes de profunda nieve en polvo hacían estallar colas de gallo a alta presión, en tanto yo movía la palanca de mandos a derecha e izquierda, para borrar el recuerdo de esa vida perversa.

Levanté el acelerador dos o tres centímetros, con la intención de dejar que la llovizna pasara hacia delante al aminorar nosotros la marcha. Así fue, pero eso, como era de esperar, nos dejó caer en un mundo diferente.

10

Allí donde nos detuvimos, la hierba se extendía a nuestro alrededor como un estanque esmeraldino ahuecado entre las montañas. El crepúsculo arrojaba llamaradas desde las nubes carmesíes.

Suiza, pensé de inmediato; hemos aterrizado en una postal de Suiza. Hacia abajo, en el valle, se veía una arboleda, súbitas casas, altos tejados en pico, una cúpula de iglesia. Había una carreta en la ruta de la aldea, impulsada no por un tractor ni por un caballo, sino por una especie de vaca.

No había nadie en las cercanías: ni un sendero, ni un caminito de cabras. Sólo ese lago de hierbas, salpicadas de flores silvestres, medio rodeada por rocosas cuestas coronadas de nieve.

–¿Por qué supones que...? –pregunté–. ¿Dónde estamos?

–En Francia –dijo Leslie. Lo dijo sin pensar. Antes de que yo pudiera preguntarle cómo lo sabía, ella aspiró bruscamente.– Mira.

Señalaba una hendidura en la roca; allí había un

anciano de tosca túnica parda, arrodillado en el suelo, cerca de una pequeña fogata. Estaba soldando; un blanco amarillento brillante chisporroteaba y danzaba en las rocas, detrás de él.

—¿Qué hace un soldador aquí arriba? —me extrañé.

Ella lo observó por un momento.

—No está soldando —corrigió, como si estuviera recordando la escena en vez de observarla—. Está orando.

Se puso en marcha hacia él y yo la seguí, decidido a guardar silencio. Así como yo me había visto en Atila, ¿mi esposa se veía en ese ermitaño?

Ya más cerca, vimos con toda seguridad que no había allí soldador alguno. Ni ruido, ni humo. Era un pilar refulgente, del color del sol, que palpitaba sobre el suelo, a menos de un metro del anciano.

—...y al mundo has de dar tal como has recibido —dijo una voz suave, surgida de la luz—. Has de dar a todos cuanto ansíen saber la verdad de dónde provenimos, el motivo de nuestro existir y el rumbo que se extiende hacia adelante, en el sendero de nuestro hogar por siempre.

Nos detuvimos algunos metros más atrás, transfigurados por el espectáculo. Sólo una vez había visto yo ese brillo, años antes, aturdido por un vistazo accidental de lo que, hasta el día de hoy, sigo llamando Amor. La luz que veíamos en esos momentos era la misma, tan radiante que reducía el mundo a una nota al pie de página, a un opaco asterisco.

De pronto, un instante después, la luz desapareció. Bajo el sitio donde había estado flotando quedó un manojo de papeles dorados, una escritura en caligrafía grandiosa.

El hombre permanecía arrodillado y en silencio, con los ojos cerrados, sin percibir nuestra presencia.

Leslie se adelantó para recoger ese refulgente

manuscrito. En ese lugar místico, su mano no pasó a través del pergamino.

Esperábamos encontrarnos con letras rúnicas o jeroglíficos, pero descubrimos que las palabras estaban en nuestro idioma. Naturalmente, pensé. El anciano las leería como si estuviera en francés; un persa, como si estuvieran en su propia lengua. Así ha de ser la revelación: no es el idioma lo que importa, sino la comunicación de las ideas.

Eres creatura de la luz, leímos. *De la luz vienes y a la luz volverás; a cada paso, rodeándote, está la luz de tu ser infinito.*

Volvió una página.

Por elección tuya moras ahora en el mundo que tú has creado. Lo que albergas en tu corazón será verdad; eso que más admiras, en eso te convertirás.

No temas ni te espantes ante la apariencia que es la oscuridad, ante el disfraz que es el mal, ante el manto vacío que es la muerte, porque tú los has elegido como desafíos. Son las piedras en las que eliges amolar el agudo filo de tu espíritu. Sabe que siempre, en derredor de ti, está la realidad del amor, y a cada momento tienes el poder de transformar tu mundo por obra de lo que has aprendido.

Las páginas seguían, por cientos. Las hojeamos, heridos por el sobrecogimiento.

Eres la vida, inventando la forma. No puedes morir a espada o por vejez, así como no puedes morir al franquear una puerta para pasar de un cuarto a otro. Cada cuarto te da su palabra para que la pronuncies; cada pasaje, su canción para que la cantes.

Leslie me miró, luminosos los ojos. Si esas escrituras podían conmovernos tanto, pensé, a nosotros, gente del siglo XX, ¿qué efecto no tendrían en las gentes de ese siglo, cualquiera fuese...? ¡El XII!

Volvimos al manuscrito. No había en él palabra sobre ritos, indicaciones para el culto, invocación de fuego y destrucción sobre los enemigos, desastres para los incrédulos; nada de crueles dioses como el de Atila. No mencionaba siquiera templos, sacerdotes, rabinos, congregaciones, coros, costumbres ni días de guardar. Era una escritura redactada para el amante ser interior y sólo para él.

Echemos a rodar estas ideas en este siglo, pensé, clave para reconocer nuestro poder sobre la convicción, el poder del amor, y el terror desaparecerá. ¡Con esto, el mundo puede esquivar la Edad de las Tinieblas!

El anciano abrió los ojos y nos vio, por fin. Permanecía tan sereno como si hubiera leído toda aquella escritura. Me echó un vistazo y fijó la mirada en Leslie por un largo instante.

—Soy Jean-Paul le Clerc —dijo—. Y vosotros sois ángeles.

Antes de que nos recobráramos de nuestro desconcierto, el hombre se echó a reír gozosamente.

—¿Visteis la luz? —preguntó.

—¡Inspiración! —exclamó mi esposa, entregándole las páginas doradas.

—Inspiración, sí. —Se inclinó en una reverencia como si la recordara y ella, cuanto menos, fuera un ángel.— Estas palabras son la clave de la verdad para quienquiera las lea; son la vida para quienes escuchen. Cuando yo era niño, la Luz prometió que las páginas llegarían a mis manos en la noche en que vosotros aparecierais. Ahora que soy viejo habéis venido, y ellas también.

—Cambiarán el mundo —dije.

El me miró con extraña expresión.

—No.

—Pero te fueron dadas...

—...como prueba —dijo él.

—¿Prueba?

—He viajado mucho —explicó—. He estudiado las escrituras de un centenar de credos, desde Catay hasta los países del Norte. —Sus ojos chisporrotearon.— Y pese a mis estudios, he aprendido. Toda gran religión comienza en la luz. Pero sólo el corazón puede retener la luz. Las páginas, no.

–Pero tienes en las manos... –dije–. Debes leer eso. ¡Es bello!

–En las manos tengo papel –dijo el anciano–. Entrega estas palabras al mundo y serán amadas y comprendidas por aquellos que ya saben su verdad. Pero antes de dárselas debemos darles nombre. Y eso será su muerte.

–¿Dar nombre a una cosa bella equivale a matarla?

Me miró, sorprendido.

–Dar nombre a una cosa es inocuo. Dar nombre a estas ideas es crear una religión.

–¿Por qué?

Me sonrió, entregándome el manuscrito.

–Te entrego estas páginas...¿ ?

–Richard –dije.

–Te entrego estas páginas, Richard, recibidas directamente de la Luz del Amor. ¿Quieres darlas, a tu vez, al mundo, a las gentes ansiosas de saber qué dicen, a quienes no han tenido el privilegio de estar presentes aquí en el momento en que era entregado el don? ¿O quieres guardar estas escrituras sólo para ti?

–¡Quiero darlas, por supuesto!

–¿Y cómo llamarán a tu don?

¿Adónde quiere llegar?, me pregunté.

–¿Importa eso?

–Si tú no le das un nombre, otros lo harán. Las llamarán *El Libro de Richard*.

–Comprendo. Está bien. Las llamaré de cualquier modo... Las páginas.

–¿Y salvaguardarás *Las Páginas*? ¿O permitirás que otros las corrijan, cambien lo que no comprenden, eliminen lo que gusten y lo que no les guste?

–¡No! Nada de cambios. ¡Fueron entregadas por la Luz! ¡Nada de cambios!

–¿Estás seguro? ¿Ni una línea aquí o allá, con buen motivo? "La mayoría no comprenderá", "Esto podría ser ofensivo", "El mensaje no está claro"...

–¡Nada de cambios!

Arqueó las cejas, interrogante.

–¿Quién eres tú para insistir?

–Estaba aquí cuando fueron entregadas –repliqué–. ¡Yo mismo las vi aparecer!

–En ese caso, ¿te has convertido en Custodio de las Páginas?

–No es preciso que sea yo. Puede ser cualquiera, siempre que prometa no hacer cambios.

–¿Pero alguien ha de ser Custodio de las Páginas?

–Alguien, sí. Supongo.

–Y así se inicia el sacerdocio paginiano. Quienes dan la vida para proteger un orden de pensamiento se convierten en sacerdotes de ese orden. Sin embargo, cualquier orden nuevo, cualquier manera nueva, es cambio. Y el cambio es el fin del mundo tal como es.

–Estas páginas no representan ninguna amenaza –dije–. ¡Son amor y libertad!

–Pero el amor y la libertad son el fin del miedo y la esclavitud.

–¡Por supuesto! –exclamé, enfadado. ¿Adónde quería llegar ese anciano? Y Leslie, ¿por qué guardaba silencio? ¿Acaso no estaba de acuerdo en que eso era...?

–Quienes medran con el miedo y la esclavitud –dijo le Clerc–, ¿recibirán gozosos el mensaje de las Páginas?

–Probablemente no, pero no podemos permitir que esta... esta luz... se pierda.

–¿Prometes proteger la luz? –dijo él.

–¡Por supuesto!

–Los otros paginianos, tus amigos, ¿la protegerán también?

–Sí.

–Y si quienes medran con el miedo y la esclavitud convencen al rey de esta tierra de que eres peligroso, si marchan contra tu casa, si llegan con espadas, ¿cómo vas a proteger las Páginas?

–¡Escaparé llevándomelas!

–¿Y cuando se te persiga, se te atrape, se te acorrale?

–Si tengo que luchar, lucharé –dije–. Son principios más importantes que la vida. Hay ideas por las que vale la pena morir.

El anciano suspiró.

–Y así se iniciaron las Guerras Paginianas –dijo–. Armaduras y espadas, escudos y estandartes, caballos, fuego y sangre en las calles. No serán guerras breves. A ti se unirán millares de verdaderos creyentes, decenas de millares, rápidos, fuertes, sagaces. Pero los principios de las Páginas desafían a los gobernantes de todas las naciones que mantienen su poder mediante el miedo y las tinieblas. Decenas de millares marcharán contra vosotros.

Por fin comenzaba a comprender lo que le Clerc trataba de decirme.

–Para ser reconocidos –prosiguió–, para diferenciarnos entre los otros, necesitaréis un símbolo. ¿Qué símbolo elegirás? ¿Qué signo impondrás a tus estandartes?

Se me hundía el corazón bajo el peso de sus palabras, pero luché aún.

–El símbolo de la luz –respondí–. El signo de la llama.

–Y así será –dijo él, como si leyera la historia no escrita– que el Signo de la Llama se enfrentará al Signo de la Cruz en los campos de batalla de Francia, y la Llama prevalecerá, gloriosa victoria. Y las primeras ciudades de la Cruz serán arrasadas por tu puro fuego. Pero la Cruz se unirá con la Media Luna, y sus ejércitos unidos llegarán en enjambres desde el sur, desde el este, desde el norte, cien mil hombres armados contra tus ochenta mil.

Oh, basta, quería decir yo. Ya conozco lo que sigue.

—Y por cada soldado de la Cruz y cada guerrero de la Media Luna que matéis protegiendo vuestro don, cien odiarán tu nombre. Sus padres, sus esposas, sus hijos y sus amigos odiarán a los paginianos y a las malditas Páginas por el asesinato de sus seres amados. Y cada paginiano despreciará a los cristianos y a su maldita Cruz, y a todos los musulmanes y a su maldita Media Luna, por el asesinato de los suyos.

—¡No! —grité.

Pero cada una de sus palabras era verdad.

—Y durante las Guerras se erigirán altares, se construirán catedrales y cúpulas alrededor de las Páginas. Quienes busquen el crecimiento espiritual y el entendimiento se encontrarán, en cambio, cargados de nuevas supersticiones y de nuevos límites: campanas y símbolos, reglas y cánticos, ceremonias, plegarias y vestiduras, incienso y ofrendas de oro. El corazón del Paginismo pasará del amor al oro. Oro para construir templos más grandes, oro para comprar espadas con las que convertir a los no creyentes y salvarles el alma.

Y cuando tú mueras, Primer Custodio de las Páginas, oro para construir imágenes tuyas. Habrá enormes estatuas, frescos grandiosos y cuadros que conviertan esta escena en arte inmortal. Mira, tejidos en este tapiz: aquí la Luz, aquí las Páginas, aquí la bóveda celeste abierta al Paraíso. Aquí, arrodillado, Richard el Grande con su centelleante armadura. Aquí, el encantador Angel de la Sabiduría, con las Sagradas Páginas en la mano; aquí, el viejo le Clerc ante su humilde fogata, en las montañas, testigo de la visión.

¡No!, pensé. ¡Imposible!

Pero no era imposible; era inevitable.

—Da estas páginas al mundo y habrá otra poderosa religión, otro sacerdocio, otro Nosotros y otro

Ellos, los unos contra los otros. En el curso de cien años, un millón de personas habrá muerto por las palabras que tenemos en nuestras manos; en mil años, decenas de millones. Y todo por este papel.

No había rastros de amargura en su voz; tampoco se tornaba cínica o fatigada. Jean-Paul le Clerc estaba colmado por el aprendizaje de toda una vida, en serena aceptación de lo que había descubierto.

Leslie se estremeció.

—¿Quieres mi abrigo? —pregunté.

—No, wookie, gracias —respondió—. No es por frío.

—No es por frío —dijo le Clerc. Se inclinó para recoger una rama en ascuas de la fogata y la arrimó a las páginas doradas—. Esto te hará entrar en calor.

—¡No! —Le arranqué los pergaminos.— ¡Cómo vas a quemar la verdad!

—La verdad no se quema. La verdad espera a todos cuantos quieran hallarla —dijo—. Sólo se quemarán estas páginas. La elección es tuya. ¿Quieres que el paginismo se convierta en la próxima religión de este mundo? —Sonrió.— Seréis santos de la iglesia...

Miré a Leslie y vi en sus ojos el mismo horror que yo sentía en los míos.

Ella tomó la rama de sus manos y la acercó a los bordes del pergamino. La llamarada creció hasta convertirse en un amplio capullo de blanco sol bajo nuestros dedos. Un momento después dejábamos caer aquellas astillas luminosas al suelo. Allí ardieron por un instante más y quedaron oscuras.

El anciano suspiró su alivio.

—¡Qué bendito atardecer! —exclamó—. ¡Cuán rara vez se nos da la oportunidad de salvar al mundo de una nueva religión!

Luego se enfrentó a mi esposa con una sonrisa esperanzada.

—¿Lo salvamos? —preguntó.

Ella le devolvió la sonrisa.

—Sí. En nuestra historia, Jean-Paul le Clerc, no se dice una palabra sobre los paginianos ni sobre sus guerras.

Se miraron en tierna despedida, escépticos amantes. Después, con una pequeña reverencia dedicada a nosotros dos, el anciano giró en redondo y escaló la montaña hacia la oscuridad.

Las fieras páginas aún ardían en mi mente, inspiración hecha cenizas.

—Pero ¿y los que necesitan lo que esas páginas dicen? —pregunté a Leslie—. ¿Cómo podrán... cómo podremos aprender lo que en ellas estaba escrito?

—Le Clerc está en lo cierto —aseguró ella, siguiendo al anciano con la vista hasta que ya no pudo distinguirlo—: quien ansía la verdad y la luz puede encontrarlas por propia cuenta.

—No estoy seguro. A veces nos hace falta un maestro.

Se volvió hacia mí.

—Prueba con esto —sugirió—. Supón que deseas honrada, sincera, profundamente saber quién eres, de dónde viniste y por qué estás aquí. Supón que estás dispuesto a no descansar hasta averiguarlo.

Asentí con la cabeza. Me imaginé resuelto, determinado, indetenible, ansioso de aprender, revisando bibliotecas en busca de libros y artículos, asistiendo a conferencias y seminarios, llevando diarios de mis esperanzas y especulaciones, anotando intuiciones, meditando en cumbres montañosas, siguiendo la pista de los sueños y las coincidencias, interrogando a desconocidos...todos los pasos que doy cuando aprender importa más que nada.

—Sí —dije.

—Ahora —continuó ella—, ¿te imaginas *no descubriéndolo*?

Uf, pensé. ¡Cómo sabe hacerme ver, esta mujer!

A manera de respuesta me incliné en una reverencia.

—Milady le Clerc, princesa del Conocimiento.

Ella me hizo una lenta reverencia en la oscuridad.

—¡Milord Richard, príncipe de la Llama!

Intimo y silencioso en el claro aire de la montaña, la tomé en mis brazos. Las estrellas ya no estaban allá arriba, sino a nuestro alrededor. Eramos uno con las estrellas, uno con le Clerc, con las páginas y su amor, uno con Pye, Tink, Atkin y Atila, uno con todo lo que existe, lo que alguna vez fue o será. Uno.

11

Bajo nosotros pasaban kilómetros y kilómetros, en tanto viajábamos en silencioso júbilo. Si al menos no hubiera una sola posibilidad en trillones, pensé. Si todo el mundo pudiera volar a este lugar siquiera una vez en cada existencia...

Un luminoso esplendor de coral apareció bajo el agua, imán para los dos, y Leslie inclinó el Avemarina a su alrededor.

— ¡Qué bello! — exclamó —. ¿Aterrizamos?

— Creo que sí. ¿Qué indica tu intuición? ¿Qué estamos tratando de hallar?

— Lo que más importa.

Asentí.

Nos detuvimos en un sitio que (lo habría jurado) era la Plaza Roja después del oscurecer. Bajo nosotros, adoquines; grandes paredes inundadas de luz levantadas a nuestra derecha; cúpulas doradas en forma de cebolla contra el cielo de la noche invernal. Sin duda alguna, estábamos en medio de Moscú, sin visa ni guía.

—Oh-oh —farfullé.

La muchedumbre del atardecer pasaba apresuradamente junto a nosotros, con pieles y grandes abrigos, fruncido el ceño contra los copos de nieve.

—¿Podrías decir dónde estamos con sólo observar a las gentes? —preguntó Leslie—. Haz de cuenta que son neoyorquinos con sombreros de piel. ¿Los diferencias?

La plaza no era lo bastante estrecha para estar en Nueva York; le faltaba el miedo de las calles nocturnas. Pero aparte de la ciudad, al buscar la diferencia entre ese pueblo y el norteamericano me costó captarla.

—No es por los sombreros —dije—. Parecen rusos como el día siguiente al jueves parece viernes.

—¿Podrían ser norteamericanos? —preguntó ella—. Si esto fuera Minneapolis y viéramos a estas personas, ¿diríamos que son rusos? —Hizo una pausa.— ¿Parezco rusa, yo?

La miré de soslayo, con la cabeza inclinada. En esa muchedumbre soviética, ojos azules, pómulos altos, pelo dorado...

—¡Qué bellas sois las mujeres rusas!

—*Spasibo* —dijo, muy casta.

De pronto una pareja se detuvo en la multitud; iban del brazo, apenas a seis metros de distancia. Nos miraron como si fuéramos marcianos llenos de tentáculos, bajados de un cielo negro.

Los otros peatones les echaron una mirada rápida por aquella brusca detención y los esquivaron. La pareja no prestaba atención; ambos mantenían los ojos pegados a nosotros, en tanto sus compatriotas caminaban a través de nosotros sin preocuparse, como si fuéramos hológrafos invisibles proyectados en su paso.

—¡Hola! —saludó Leslie, agitando un poco la mano.

Nada. Nos miraban como si no comprendieran. ¿Acaso nuestra extraña capacidad de dominar cualquier idioma nos fallaba allí, en la Unión Soviética?

—Hola —intenté yo—. ¿Cómo estáis? ¿Nos buscabais?

La mujer fue la primera en recobrarse. El pelo oscuro le caía en cascadas desde el gorro de piel; nos inspeccionó, ojos curiosos.

—¿Sí? —preguntó con una sonrisa desconcertada—. ¡En ese caso, os deseamos buenas noches!

Se acercó un poco más, trayendo consigo al hombre a una distancia menor de la que él habría preferido.

—Sois norteamericanos —dijo él.

No me di cuenta de que había estado conteniendo el aliento hasta que volví a respirar.

—¿Cómo os dais cuenta? —pregunté—. ¡Hace un momento estábamos hablando de eso!

—Es que parecéis norteamericanos.

—¿En qué sentido? ¿Hay algo del Nuevo Mundo en nuestros ojos?

—Vuestros zapatos. A los norteamericanos se los reconoce por los zapatos.

—Leslie se echó a reír.

—¿Y cómo distinguís a los ingleses?

El vaciló; luego esbozó la más pequeña de las sonrisas.

—A los ingleses no se los distingue —dijo—. Ya son demasiado distinguidos.

Todos reímos. Qué extraño, pensé; hace menos de un minuto que nos conocemos y los cuatro actuamos ya como si pudiéramos ser amigos.

Les contamos quiénes éramos y qué había pasado, pero creo que, si algo los convenció de que éramos reales, fue nuestro extraño estado de irrealidad. Sin embargo, Tatiana e Iván Kirilov quedaron tan fascinados con nosotros por ser norteamericanos como por ser yos alternativos de un mundo alternativo.

—Por favor —dijo Tatiana— ¡venid a casa! No está muy lejos.

Yo siempre había pensado que, si elegimos como adversarios a los soviéticos, es porque se nos parecen mucho: son bárbaros maravillosamente civilizados. Sin embargo, el apartamento de los Kirilov no era bárbaro, sino tan cálido y luminoso como lo habríamos tenido nosotros.

—Pasad —dijo Tatiana, conduciéndonos a la sala—. Poneos cómodos, por favor.

En el sofá dormitaba una gatita calicó.

—Hola, Petrushka —saludó ella—. ¿Te has portado bien?

Se sentó junto a la gata y la puso en su regazo para acariciarla. Petrushka la miró parpadeando, se enroscó hasta convertirse en un balón y volvió a quedarse dormida.

Grandes ventanas daban al este, esperando el sol de la mañana. Contra la pared opuesta se veían enormes estanterías para libros, discos y grabaciones de la misma música que escuchamos en casa: Bartok, Prokofiev, Bach; *A Crow of One*, de Nick Jameson; *Private Dancer*, de Tina Turner. Muchos libros: tres estantes sobre conciencia, el morir y la percepción extrasensorial. Sospeché que, de todos ésos, Tatiana no había leído ni uno. Faltaban las computadoras. ¿Cómo podían vivir sin computadoras?

Según descubrimos, Iván había sido ingeniero aeronáutico, miembro del Partido, y había hecho bastante carrera en el ministerio de Aviación.

—Al viento relativo no le importa que piloteemos alas soviéticas o estadounidenses —observó—. Si excedemos el ángulo crítico de ataque, perdemos sustentación, ¿verdad?

—Con alas estadounidenses, no —le dije, muy serio—. Las alas norteamericanas nunca pierden sustentación.

—Ah, ésas. —Asintió con la cabeza.— Sí, hemos probado esas alas que no pierden sustentación. ¡Pero no hallamos el modo de hacer que los pasajeros abordaran un avión que no podía aterrizar! Tuvimos que cazar a tus alas norteamericanas con redes para enviarlas de regreso a Seattle...

Nuestras esposas no escuchaban.

—¡En esos últimos veinte años me volví loca! —decía Tatiana—. El gobierno no quería que nada funcionara demasiado bien. Si es menos eficiente, piensan que crea más trabajo para mantener a todo el mundo ocupado. ¡A mí me parece demasiada *burocracia*! No tenemos por qué soportar ese desastre. ¡Sobre todo en la oficina de filmaciones, donde nuestro trabajo consiste en *comunicar*! Pues se ríen y me dicen: "Tatiana, no te alteres." Pero ahora ha llegado la perestroika, ha llegado la glasnost, y las cosas se mueven.

—¿Ahora puedes alterarte? —preguntó su esposo.

—Vania —protestó ella—, ahora puedo esmerarme, puedo *simplificar*. ¡No me altero nunca!

—A nosotros nos gustaría simplificar nuestro gobierno —suspiró Leslie.

—Vuestro gobierno comienza a parecerse al nuestro, lo cual es estupendo —dije—, ¡pero el nuestro comienza a parecerse al vuestro, lo cual es espantoso!

—Es mejor parecernos que destrozarnos —comentó Iván—. Pero ¿has leído los periódicos? ¡No podemos creer que vuestro presidente haya pronunciado esas palabras!

—¿Lo del Imperio del Mal? —dijo Leslie—. Ese presidente solía tornarse algo dramático en sus discursos.

—No —corrigió Tatiana—. Insultar así era tonto, pero de eso ha pasado mucho tiempo. En cambio ahora... ¡lee!

Tomó el periódico y buscó la cita en cuestión para leérnosla. —*La momentánea mancha de radiación en suelo extranjero es mejor que la mancha permanente del comunismo en la mente de los niños norteamericanos*, dijo el líder capitalista. *Estoy orgulloso del valor de mis compatriotas y les agradezco sus plegarias. Y prometo por Dios, de acuerdo con Su voluntad, conducir a la libertad hasta su victoria final.*

Se me enfrió la sangre. Cuando aparece el dios de los odios, ¡cuidado!

—Oh, vamos —dijo Leslie—. ¿Radiación momentánea? ¿La victoria final de la libertad? ¿De qué está hablando?

—Dice que tiene mucho apoyo popular —observó Iván—. ¿Es cierto que el pueblo norteamericano quiere aniquilar al pueblo de la Unión Soviética?

—Por supuesto que no —respondí—. Es el modo de hablar de los presidentes. Siempre dicen que tienen todo el apoyo del pueblo. A menos que haya una muchedumbre gritando y apedreando la Casa Blanca en los informativos de la noche, esperan que lo creamos.

—Nuestro pequeño mundo está creciendo —comentó Tatiana—. En los últimos tiempos llegamos a pensar que gastamos demasiado en defendernos de los norteamericanos, pero ahora... ¡Estas palabras nos parecen demenciales! Quizá no estemos gastando demasiado en defensa, sino demasiado poco. ¿Cómo salir de esta terrible... noria que jamás se detiene? Si todos corremos y corremos, ¿Quién sabe cuándo hay bastante?

—Imaginad que heredáis una casa que nunca habíais visto —dije—. Un día vais a visitar vuestra casa y veis que las ventanas están llenas de...

—¡Armas! —exclamó Iván, atónito. ¿Era posible que un norteamericano conociera la metáfora que un ruso había inventado para sí?— Ametralladoras, cañones y misiles, que apuntan por sobre los terrenos hacia otra casa, no muy apartada. Y en esa casa las ventanas también están llenas de armas que apuntan hacia la nuestra. En esas casas hay armamento suficiente para aniquilarse entre sí cien veces. ¿Qué haríamos si heredáramos una casa así?

Me hizo un gesto, con la palma hacia arriba, para que prosiguiera con el cuento, si me era posible.

–¿Vivir con las armas y decir que eso es paz? –propuse–. ¿Comprar más armas porque el hombre de la otra casa compra más armas? Se descascara la pintura, hay filtraciones en el techo, ¡pero las armas están bien engrasadas y apuntadas!

Leslie intervino.

–¿Es más probable que el vecino dispare si retiramos armas de nuestras ventanas o si ponemos más?

–Si quitamos *algunas* armas de nuestras ventanas –replicó Tatiana–, de modo que sólo podamos matarlo noventa veces, ¿eso lo llevará a disparar por considerarse más fuerte que nosotros? No lo creo. Por lo tanto, retiro una pequeña pistola vieja.

–¿*Unilateralmente*, Tatiana? –apunté–. ¿Sin años de negociaciones? ¿Vas a desarmar *unilateralmente*, cuando él tiene todos esos cañones y cohetes apuntados a tu dormitorio?

Ella dio una sacudida de cabeza, desafiante.

–¡Unilateralmente!

–Hazlo –asintió su esposo– y después invita al vecino al tomar el té. Le sirves unos pasteles y le comentas: "Fíjese, heredé esta casa de mi tío, como usted heredó la suya. Tal vez los dueños anteriores se tenían encono, pero yo no tengo nada contra usted. ¿Hay filtraciones en su tejado, como en el mío?"

Plegó las manos frente a sí y continuó:

–¿Qué hará el hombre? ¿Comer nuestros pasteles y después volver a su casa para disparar contra nosotros? –Se volvió hacia mí con una sonrisa.– Los norteamericnaos son locos, Richard. ¿Sois así de locos? Después de comer nuestros pasteles, ¿volverías a vuestra casa para disparar contra nosotros?

–Los norteamericanos no somos locos –aseguré–. Somos astutos.

Me miró de reojo.

–¿Estáis convencidos de que Norteamérica gasta miles de millones en misiles y sistemas teleguiados de alta tecnología? No es así. Estamos *ahorrando* miles de millones. ¿Cómo, te preguntas? –Lo miré a los ojos, sin sonreír.

–¿Cómo? –preguntó.

–¡Nuestros misiles no tienen sistemas de teleguiado, Iván! Ni siquiera ponemos cohetes en ellos: sólo cabezas nucleares. El resto es cartón pintado. Mucho antes de Chernobyl, fuimos lo bastante sagaces como para darnos cuenta; *¡no importa dónde estallen las cabezas nucleares!*

Iván me miró, solemne como un juez.

–¿Que no importa?

Sacudí la cabeza.

–Los astutos norteamericanos comprendimos dos cosas. Primero, comprendimos que, dondequiera pusiéramos un silo misilístico, no construiríamos un sitio de lanzamiento, sino un sitio de *impacto*. En cuanto sacamos la primera palada de tierra, vosotros marcáis el lugar para apuntarle quinientos megatones. Segundo: Chernobyl fue un pequeñísimo accidente nuclear al otro lado del mundo, que no equivale siquiera a la centésima parte de una cabeza nuclear, pero seis días después estábamos botando leche en Wisconsin al filtrar vuestros rayos gama.

El ruso arqueó una gruesa ceja.

–Y entonces os disteis cuenta...

Asentí.

–Si hay diez millones de megatones listos para estallar unos contra otros, ¿a quién le importa dónde estallen? ¡Todo el mundo muere! ¿A qué gastar millones en cohetes y computadoras? Al primer misil ruso que caiga contra nosotros, los liquidamos: hacemos volar Nueva York, Texas y Florida y vosotros estáis condenados. Y mientras tanto os arruináis fabricando misiles. –Lo miré, astuto como un coyote.– ¿De dónde crees que sacamos el dinero para construir Disneylandia?

Tatiana me miraba, boquiabierta.

–Máximo secreto –advertí–. Mis viejos compañeros de la Fuerza Aérea son ahora generales del Comando Misilístico Estratégico. Los únicos misiles norteamericanos que tienen motores de verdad son los MRP.

–¿Qué MRP? –repitió ella, mirando a su esposo. Ambos eran miembros de la jerarquía del Partido, pero ninguno había oído hablar de eso.

–Misiles de relaciones públicas. De vez en cuando disparamos uno para causar efecto.

–Y ponéis cuatrocientas cámaras a tomar fotografías –dijo Iván–. Los presentáis por televisión, no para los norteamericanos, sino para los soviéticos.

–Por supuesto –dije–. ¿Nunca os habéis preguntado por qué todas las fotografías de misiles que publicamos parecen del mismo cohete? ¡Es porque *son* del mismo cohete!

Ella miró a su esposo (juro que él ni siquiera había esbozado la menor sonrisa) y estalló en una carcajada.

–Si la KGB está sintonizando esta conversación –sugerí– y recibe sólo la parte rusa del diálogo, ¿qué pensará?

–¿Y qué pensará la CIA, si está escuchando la parte norteamericana? –preguntó Iván.

–Si la CIA está escuchando –reconocí–, ¡estamos aviados! Nos tildarán de traidores por haber revelado el Primer Secreto Norteamericano: que no vamos a bombardearos, sino a arruinaros haciéndoos comprar partes de cohete.

–Si nuestro gobierno lo descubre... –dijo Tatiana.

–...no tendrá que construir misiles en absoluto

—completó Leslie—. Podréis sentaros aquí, sin armas. Nosotros no podemos atacaros porque nuestros misiles tienen aserrín en vez de motores. ¡Oh, podríamos enviarlos a Moscú por correo certificado y activarlos con silbatos para perros! Pero de qué serviría...

—...si seis días después nos aniquilaría nuestra propia radiación —completé—. Si os bombardeamos, nos perdemos el fútbol del domingo. Y no olvidéis, vosotros dos, que la primera regla del capitalismo es Crear Consumidores. ¿Creéis por un minuto que perderíamos preciosos consumidores, los beneficios de la industria cosmética, los de la industria publicitaria? ¡Por Dios! ¿Comprendéis?

El suspiró y miró a Tatiana, que asintió casi imperceptiblemente.

—La Unión Soviética también tiene sus secretos —intervino Iván—. Para ganar la carrera armamentista necesitamos que Norteamérica nos subestime, que pase por alto los cambios. Norteamérica debe pensar que, para la Unión Soviética, la ideología es más importante que la economía.

—Vosotros estáis construyendo submarinos —señalé— y transportes aéreos para tropas. Vuestros misiles tienen motores que funcionan.

—Por supuesto. Pero ¿no ha notado la CIA que nuestros nuevos submarinos no llevan misiles y que tienen ventanillas de vidrio? —Hizo una pausa y volvió a mirar a su esposa.— ¿Se lo decimos?

Ella asintió con firmeza.

—Los submarinos dan ganancia... —comenzó Iván.

—¡...usados para turismo de aguas profundas! —terminó ella—. ¡El primer país que lleve a los turistas al fondo del mar será rico!

—¿Vosotros pensáis que hacemos transportes aéreos de tropas? —continuó él—. Pensadlo mejor. No son transportes, sino propiedades inmobiliarias flotantes. Para las personas a las que les encanta viajar, pero no abandonar la casa. Ciudades libres de contaminación, con los campos de tenis más grandes del mundo, y que viajan adonde quieras vivir. Tal vez a climas cálidos.

–Programas espaciales –continuó–. ¿Sabéis cuántas personas hacen fila para ir al espacio, en paseos de dos horas, al precio que pidamos? ¡Hará calor en Siberia –concluyó, presumido como un gato– el día en que la Unión Soviética vaya a la bancarrota!

A mí me tocó entonces quedar atónito.

–¿Vais a *vender viajes espaciales*? ¿Y el comunismo?

–¿Y qué? –Se encogió de hombros.– A los comunistas también nos gusta el dinero.

Leslie se volvió hacia mí.

–¿Qué te dije?

–¿Qué te dijo? –preguntó Iván.

–Que sois como nosotros –respondí– y que debíamos venir a ver con nuestros propios ojos.

–Para muchos norteamericanos –dijo Leslie–, la guerra fría terminó con un programa de televisión en el que los soviéticos conquistaban a Estados Unidos y reemplazaban nuestro gobierno por el vuestro. Al final todo el país estaba medio muerto de tedio y no podía creer que alguien pudiera ser tan obtuso. Como teníamos que verlo con nuestros propios ojos, el turismo a Rusia se triplicó de la noche a la mañana.

–¿Y no somos tan aburridos? –preguntó Tatiana.

–No tanto –repliqué–. Parte del sistema soviético es realmente obtuso, pero parte de la política norteamericana también pondría en trance a un pavo. Lo que resta, por ambos bandos, no es tan malo. Cada uno elige lo que es más importante para sí. Vosotros sacrificáis la libertad en aras de la seguridad; nosotros, la seguridad por la libertad. Vosotros no tenéis pornografía; nosotros no tenemos leyes que prohíban viajar. ¡Pero ni los unos ni los otros somos tan aburridos que haya llegado el momento de pedir el fin del mundo!

—En cualquier conflicto —dijo Leslie— podemos defendernos o podemos aprender. La defensa ha hecho del mundo un sitio inhabitable. ¿Qué ocurriría si, en cambio, eligiéramos aprender? ¿Si en vez de decir *tú me asustas* dijéramos *tú me interesas*?

—Creemos que nuestro mundo se está inclinando poco a poco a intentar eso —dije.

Me preguntaba qué habíamos ido a aprender de ellos. ¿Ellos es Nosotros? ¿Los americanos son soviéticos son chinos son africanos son árabes son asiáticos son escandinavos son indios? ¿Diferentes expresiones del mismo espíritu surgidas de diferentes elecciones, diferentes giros en el infinito esquema de la vida en el espacio-tiempo?

¡Cómo cambiaba todo al conocerlos! A partir de esa noche ya no podríamos elegir iniciar una guerra contra Tatiana e Iván Kirilov, así como no podríamos bombardearnos a nosotros mismos. Al dejar ellos de ser recortes del Imperio del Mal para convertirse en prójimos vivientes, en personas que trataban tanto como nosotros de encontrar sentido al mundo, todo temor que pudiéramos tenerles había desaparecido. Para nosotros cuatro, la noria se detenía.

—En la Unión Soviética tenemos un cuento sobre el lobo y el conejo bailarín —dijo Iván, levantándose para representar la fábula.

—¡Chist! —susurró Tatiana, levantando las manos para pedir silencio—. ¡Escuchad!

Iván la miró, sobresaltado.

Afuera, la oscuridad había empezado a gemir, gravemente, con lentitud, como si toda la ciudad sufriera.

Gruñían las sirenas por cientos, hasta alcanzar decibeles que equivalían al chillido, haciendo repiquetear las ventanas.

Tatiana se levantó de un salto, con los ojos grandes como platos.

–¡Vania! –gritó–. ¡Los norteamericanos!

Corrimos a las ventanas. Por doquier centelleaban luces en la oscuridad.

–¡Esto no puede ser! –dijo Leslie.

–¡*Es*! –aseguró Iván.

Giró hacia nosotros, levantando las manos en desolada angustia. Después corrió a un armario, del que sacó dos bolsos con alguna ropa, y entregó uno a su esposa. Ella metió a Petrushka, casi dormida, en uno de los bolsos, y ambos salieron a toda carrera, dejando la puerta abierta a sus espaldas.

Iván reapareció un momento después, incrédulo.

–¿Qué esperáis? –gritó–. ¡Tenemos cinco minutos! ¡Vamos!

Los cuatro bajamos corriendo dos tramos de escalera hasta el revuelo de las calles, donde una masa de gente aterrorizada se apretujaba hacia las entradas del metro. Los padres iban con bebés en los brazos y niños aferrados a sus abrigos, para no caer. Los ancianos se esforzaban por avanzar con la muchedumbre. Algunos, aterrorizados, iban dando empellones y gritando; otros, serenamente, sabiendo que la huida era inútil.

La multitud pasaba en torrentes a través de nosotros. Iván se dio cuenta y sujetó a Tatiana para apartarla del río desesperado. Estaba sin aliento.

–Vosotros... Richard y Leslie –dijo, conteniendo las lágrimas, sin furia ni odio hacia nosotros–, vosotros sois los únicos que podéis escapar. –Se detuvo para tomar aliento y sacudió la cabeza.– No vengáis con nosotros. Id... volved por donde vinisteis. –Hizo un gesto de asentimiento y logró esbozar una sonrisa quebrada.– ¡Volved a vuestro mundo y decidles! ¡Decidles cómo es esto! ¡No dejéis que os ocurra también a vosotros...!

Y se los llevó la multitud.

Leslie y yo, inermes y desesperados en aquella calle de Moscú, contemplamos la pesadilla hecha realidad; no nos importaba escapar; no nos importaba vivir o morir. ¿A qué decir nada a nuestro mundo?, pensé. No se trata de que tu mundo no lo supiera, Iván, sino de que sabía y se mató a sí mismo, aun así. ¿Sería el nuestro diferente?

De pronto la ciudad tronó, estremecida, y se fundió en agua que volaba contra el parabrisas del hidroavión. Por largo rato, después del despegue, Leslie mantuvo la mano en el acelerador. Y por largo rato ni ella ni yo dijimos una palabra.

12

—*¿Por qué?* —pregunté—. ¿Qué tiene de estupendo el asesinato en masa, para que nadie en la historia del mundo haya encontrado nunca una solución más inteligente a los problemas? ¿Nada, aparte de matar a todos los que no estén de acuerdo? ¿Es ése el límite de la inteligencia humana? ¿Aún somos neanderthalenses? *Zog asustado, Zog mata.* ¿Es...? ¡No puedo creer que todo el mundo haya sido tan... estúpido! Que nadie haya podido...

La frustración nunca acaba las frases. Miré a Leslie, miré las lágrimas que le llenaban los ojos y le corrían por la cara. Lo que me llevara a una ira inmensa había causado en ella un inmenso dolor.

—Tatiana... —dijo, tan destrozada como si hubiéramos esperado el bombardeo— Iván... Tan dulces, divertidos, adorables... Y Petrushka... ¡Oh, Dios!

Y rompió en sollozos.

Le tomé la mano y se la palmeé con suavidad. ¡Cuánto habría deseado que Pye hubiera estado allí! ¿Qué habría dicho ante nuestra furia y nuestras lágrimas?

Maldición, pensé, pese a toda la belleza que podemos ser, pese a toda la gloria que tantos son ya, ¿debe reducirse todo a que el más despreciable de los rufianes del mundo presione algún botón y ponga fin a la luz? ¿No hay nadie en el esquema a quien se le haya ocurrido algo mejor que...?

¿Lo oí o lo imaginé?

Gira a la izquierda. Vuela hasta que el diseño se torne ambarino allá abajo.

Leslie no preguntó por qué girábamos ni hacia dónde nos encaminábamos. Tenía los ojos cerrados, pero las lágrimas seguían cayendo.

Le estreché la mano y la desperté de la desesperación.

—Resiste, queridita —dije—, creo que vamos a ver cómo es un mundo sin guerras.

No distaba mucho de allí. Accioné el acelerador, la quilla tocó el agua, el mundo se convirtió en espuma y...

Salimos invertidos, quizá a mil ochocientos metros de altitud. Luego el avión apuntó directamente hacia abajo.

Por una fracción de segundo pensé que el Avemarina estaba fuera de control; de inmediato comprendí que no era Gruñón el que aullaba hacia abajo con nosotros, sino un avión de combate a toda marcha.

La cabina era pequeña; si Leslie y yo no hubiéramos sido fantasmas, no habríamos podido caber en ella de ese modo, codo a codo, detrás del piloto.

Allá adelante, es decir, allá *abajo,* a ciento cincuenta metros, otro avión de combate viró en el aire, desesperado por escapar. El panorama que se veía por nuestro parabrisas me dejó helado: un círculo de diamantes abarcaba casi por completo las alas del otro avión; el punto brillante de nuestra mira perseguía su cabina.

¿Un mundo sin guerras? ¡Después de lo ocurrido

en Moscú, íbamos a ver cómo alguien estallaba en pedazos en el aire!

La mitad de mí se encogió de espanto; la otra mitad lo observaba todo objetivamente. Este avión no es a chorro, apuntaba esa segunda mitad; no es Mustang, ni Spitfire ni Messerschmitt; no es ninguno de los aviones que hayan existido jamás. El piloto de combate que hay en mí también observaba y aprobaba: Buen pilotaje. Sigue al blanco suavemente hasta tenerlo al alcance de sus armas, asciende cuando el blanco asciende, gira cuando el blanco gira y se deja caer con él, una vez más.

Leslie estaba rígida a mi lado, sin respirar, con los ojos clavados en el avión de abajo. La tierra aullaba hacia nosotros. La rodeé con un brazo y la estreché con fuerza.

Si hubiera podido tomar la palanca de mandos y poner al avión en dirección contraria, si hubiera podido apelar al acelerador, lo habría hecho. El ruido de la cabina no me permitía chillar a ese piloto, empeñado en su matanza.

En las alas del avión fijo en nuestra mira se veían las estrellas rojas de la República Popular de China. ¡Oh, Dios!, pensé, ¿acaso la locura se ha extendido a todos los mundos existentes? ¿También estamos en guerra con China?

El avión chino parecía, en verdad, un aparato para exhibiciones acrobáticas, pintado de azul celeste por abajo, de verdes y pardos por arriba. Pese al ruido y a la acción, nuestro indicador de velocidad aerodinámica marcaba sólo cuatrocientos cincuenta kilómetros por hora. Si esto es la guerra, pensé, ¿dónde están los propulsores a chorro? ¿En qué año estamos?

El blanco giró sobre sí mismo y aceleró tanto para escapar que de la punta de sus alas surgieron rastros de vapor. Nuestro piloto hizo lo mismo, negándose a soltar la presa. Aunque nosotros no sentíamos la fuerza de la gravedad que actuaba sobre él, vimos que su cuerpo se aplastaba bajo la tensión y su casco se alargaba hacia el suelo.

Soy yo, pensé. Soy otra vez piloto. ¡Malditos sean los militares! ¿Cuántas veces tengo que cometer el mismo error? Heme aquí, a punto de matar a alguien. Y lo lamentaré por el resto de mi vida...

El blanco se volteó cerradamente hacia la derecha; después, desesperado, invirtió el giro. Estaba a muy poca distancia, bien en el centro de los diamantes. El yo alternativo accionó el gatillo que tenía en la palanca de mandos. Las ametralladoras dispararon; fuegos artificiales ensordecidos en las alas y, de inmediato, una bocanada de humo blanco que brotaba del motor del otro avión.

Dos palabras de nuestro piloto:

—¡Listo! —dijo—. Casi...

¡Era la voz de Leslie! No era un yo alternativo el que piloteaba ese avión, sino una Leslie alternativa.

En la mira se encendió un mensaje: BLANCO AVERIADO.

—¡Maldición! —dijo la piloto—. ¡Vamos, Linda!

Se aproximó aún más a la presa y mantuvo el gatillo pulsado en una larga ráfaga. En la cabina se olía pólvora.

El humo blanco se tornó negro; nuestro parabrisas se manchó con el aceite del motor de su víctima.

BLANCO DESTRUIDO.

—¡Ahora sí! ¡Ahora sí! —exclamó la piloto.

Nos llegó apenas la voz en la radio:

—¡Líder Delta, a la derecha! ¡Ya! ¡Ya! ¡A la derecha!

La piloto no giró la cabeza para ver el peligro: desvió la palanca de mandos hacia la derecha y tiró de ella como para salvar la vida. Demasiado tarde.

De inmediato nuestro parabrisas se puso negro con aceite lubricante caliente; una lata de humo renegrido estalló bajo la cubierta del motor. La máquina tartamudeó y se detuvo; la hélice estaba inmóvil.

En la cabina sonó una campanilla, como la que marca el fin de cada *round* en los campeonatos de pugilismo. DERRIBADO, decía el mensaje en la mira.

De inmediato reinó el silencio. Sólo el áspero grito del viento, afuera, y el humo harapiento de la lata.

Torcí el cuello para mirar hacia atrás; miré por sobre nuestro río de negrura hacia el rugir de un motor que se nos ponía a la par: un avión igual al blanco que acabábamos de despachar. El hombre que había disparado contra nosotros pasó en su cabina, apenas a quince metros de distancia, y nos saludó con la mano, riendo, jubiloso.

Nuestra piloto se levantó el visor del casco y devolvió el saludo.

—¡Oh, Xiao, maldición! —murmuró—. ¡Ya me la pagarás!

El otro nos dejó atrás, entre el destello de sus relucientes pinturas. Después torció hacia arriba el morro de su avión y ascendió en ángulo cerrado, para enfrentarse a nuestro compañero, que se arrojaba contra él en un aullido, buscando venganza. Medio minuto después ambos aviones giraban en semicírculos, trabados en combate, hasta perderse de vista.

En nuestra cabina no había llamas; apenas quedaba una voluta de humo. Nuestra piloto, considerando que acababa de perder una batalla, parecía tan serena como una tostada ennegrecida.

—Hola, Líder Delta —dijo una voz en la radio, alta en el silencio—. ¡Su cámara no funciona! Aquí una luz me indica que ha sido derribada. ¡No me diga que sí!

—Lo siento, instructor —dijo la piloto—. A veces se gana, a veces se pierde, maldición. Fue Xiao Xien Ping.

—Excusas, excusas. Cuénteselo a sus admiradores. ¡Aposté doscientos dólares a que Linda Albright

137

volvería hoy convertida en triple as! ¡Perdidos! ¿Dónde va a aterrizar?

—El más cercano es el Tres de Shanghai. Podría llegar al Dos, si usted quiere.

—No, el Tres está bien. La anotaré para un rescate desde el Tres de Shanghai, para mañana. Llámeme esta noche, ¿quiere?

—Está bien. —Ella parecía deprimida—. Lo siento, instructor.

La voz se quebró.

—No siempre se puede ganar.

El cielo estaba radiante, con unos pocos cúmulos de verano, y teníamos altitud de sobra para planear hasta el aeropuerto. Aun con el motor fuera de funcionamiento y el parabrisas lleno de aceite, el aterrizaje no sería difícil. Ella tocó un sintonizador de radio.

—Tres de Shanghai —dijo Linda al micrófono—, aquí Líder Delta de Estados Unidos, diez sur a cinco. Derribada para aterrizar, por favor.

La torre de control estaba esperando su llamado.

—Líder Delta de Estados Unidos, aterrice número dos en patrón motor apagado, pista dos ocho ocho. Bienvenida a Shanghai...

—Gracias.

Suspiró, encorvada en el asiento.

Por fin me atreví a hablar con ella.

—Hola —dije—. ¿Te molestaría explicarnos qué está pasando?

En su lugar, el respingo me habría arrojado fuera del avión, pero Linda Albright no pareció sorprenderse ante mi presencia ni por mi pregunta. Respondió enojada, sin preocuparse por quien preguntaba.

—Acabo de perder un día para mi equipo —dijo, amargada, descargando el puño contra el tablero—. Se supone que soy la gran estrella de este grupo, pero acabo de hacer que perdamos diez puntos en las Semifinales Internacionales. No me importa si tengo compañero de combate, no me importa nada más. Jamás en mi vida... *¡Jamás en mi vida dejaré de mirar hacia atrás!* –Exhaló un profundo suspiro. De pronto escuchó sus propias palabras y giró para mirar hacia atrás: a nosotros.

–¿Quiénes sois?

Se lo dijimos. Para cuando hubo planeado hasta la posición debida para aterrizar, ya había aceptado nuestras palabras, como si los visitantes de universos paralelos cayeran por su casa cada dos o tres días. Aún estaba obsesionada por esos diez puntos.

–¿Aquí esto es un deporte? –pregunté–. ¿Habéis convertido el combate aéreo en deporte?

–Así dicen –respondió, ceñuda–. Juegos Aéreos, los llaman. ¡Pero no son juegos, sino un gran negocio! En cuanto una sale de las ligas menores, prácticamente se convierte en gran profesional y aparece por televisión en todo el mundo, vía satélite. En los Simples del año pasado derribé a Xiao Xien Ping en veintiséis minutos, pero ¡maldición! Acabo de dejar que ese hombre me devore sólo por no mirar atrás y ahora soy noticia vieja.

Bajó la palanca del tren de aterrizaje con violencia, como si con eso pudiera alterar lo que había ocurrido.

–Las ruedas están abajo y trabadas –dijo, aún echando chispas.

Al compañero de combate le corresponde vigilar los alrededores, pero el suyo había avisado demasiado tarde. El avión chino había venido directamente desde el sol, en giro amplio, para liquidarla en una sola pasada.

Planeamos en el acercamiento a la pista indicada. Nuestras ruedas gorjearon suavemente sobre el cemento; carreteamos hasta detenernos sobre una línea roja, apenas fuera de la pista. Las cámaras de televisión estiraban el cuello, alertas.

Lo que había a nuestro alrededor no era tanto un aeropuerto como un enorme estadio, con inmensos palcos levantados a ambos lados de las pistas gemelas. Parecía haber unas doscientas mil personas en los palcos; diez gigantescas pantallas para luz diurna mostraban un primer plano de nuestro avión al aterrizar.

A pocos metros de la línea roja había otros dos aviones norteamericanos y el chino que Linda había derribado. Todos, como el nuestro, estaban ennegrecidos de hollín y bañados en aceite desde el motor a la cola. Varios equipos trabajaban en los otros aparatos: los limpiaban, reponían el humo y cargaban aceite. Los otros, empero, no tenían sartas de marcas victoriosas pintadas bajo el nombre del piloto, en la cabina.

Los periodistas y las cámaras corrieron hacia nosotros, solicitando entrevistas.

—Detesto esta parte —protestó la piloto—. En este momento, el Canal de Guerra está diciendo en todo el mundo que Linda Albright fue derribada, atacada por la retaguardia, como una novata cualquiera. Suspiró. —Oh, bueno. Pongamos buen semblante, Linda.

Un momento después, el pequeño avión estaba en primer plano, como un mosquito bajo los microscopios. En las inmensas pantallas se veía la imagen de la piloto en el momento de abrir la cabina transparente y de quitarse el casco; se la vio sacudir su larga cabellera oscura y apartarla de la cara. Se la notaba disgustada, descontenta consigo misma. A nosotros no se nos veía.

El anunciador del estadio fue el primero en llegar a ella.

—¡Linda Albright, campeona norteamericana de clase A! —dijo al micrófono, en perfecto inglés—. Victoriosa en excelentísima batalla contra Chung Li Huan, pero infortunada víctima de Xiao Xien Ping, de Szechwan. ¿Puede decirnos algo sobre sus combates de hoy, señorita Albright?

Frente a la línea roja había una muchedumbre de fanáticos de los Juegos Aéreos, casi todos con las insignias del escuadrón local en los sombreros y las chaquetas; en su mayoría eran chinos. Saboreaban el momento, observando los monitores de video y sin dejar de echar vistazos entre las cámaras, para ver a Linda Albright en persona. ¡Qué bienvenida se le brindaba a la celebridad del día! Bajo su imagen, en la pantalla, se leía LINDA ALBRIGHT, Nº 2 Estados Unidos, y una hilera de 9,8 y 9,9. El público hizo silencio al hablar ella.

—El honorable Xiao figura entre los jugadores más caballerescos que honran los cielos del mundo —dijo; los altavoces traducían simultáneamente sus palabras—. Mi mano está abierta en señal de respeto por el valor y la habilidad de vuestro gran piloto. Estados Unidos de América se sentirá profundamente honrado si alguien tan humilde como yo obtiene la oportunidad de enfrentarlo nuevamente en los cielos de este bello país.

La muchedumbre enloqueció. Para ser estrella de los Juegos Aéreos no bastaba, al parecer, con saber cuándo accionar un gatillo.

El locutor tocó sus audífonos y asintió rápidamente.

—Gracias, señorita Albright —dijo—. Le estamos agradecidos por su visita al Estadio Tres y esperamos que disfrute su visita a nuestra ciudad. Le deseamos la mejor de las suertes en la continuación de estos Juegos Internacionales. —Giró hacia la cámara—. Vamos ahora a Zuan Kai Lee, en vuelo en la zona cuatro, donde se está desarrollando una batalla importante...

Las pantallas reproducían una vista aérea; tres aviones chinos volaban en formación para interceptar a ocho norteamericanos. El estadio emitió una exclamación masiva; todas las miradas se volvieron hacia la acción que se iniciaba. Esos tres gozaban de una confianza suprema o estaban desesperados por ganar puntos y gloria; de un modo u otro, la visión de su valor era magnética.

La batalla se transmitía desde las cámaras conectadas a todos los aviones y, además, desde una red de aviones-cámara; el director de televisión debía de tener veinte imágenes entre las cuales escoger. Y se avecinaban novedades. Desde la pista se elevaron, aullando, dos escuadrillas de cuatro aviones chinos, que ascendieron a toda velocidad para unirse a la batalla y volcar las posibilidades en su favor, antes de que el desastre de la zona cuatro pasara a la historia del deporte.

Linda Albright se quitó el cinturón de seguridad y bajó de su avión, toda encanto y elegancia, con un traje de piloto de seda color fuego, ceñido como malla de bailarina, chaqueta de satén azul con estrellas blancas y una bufanda a rayas blancas y rojas.

Esperamos, en tanto los periodistas se agolpaban para obtener sus entrevistas con la estrella recién-bajada-del-cielo. El adiestramiento de los pilotos debía de incluir tanto tacto y cortesía como acrobacia aérea y artillería: para cada pregunta Linda tenía una respuesta inesperada, modesta y confiada a un tiempo. Cuando hubo terminado, la muchedumbre la acosó con sus propias preguntas y le presentó programas escritos en chino, con su fotografía a toda página, para que los autografiara.

—Si así son las cosas cuando pierde en un país extranjero —dijo Leslie—, ¿qué pasará cuando gana en su patria?

Por fin la policía le abrió paso hasta una limosina; media hora después estábamos juntos en un lugar tranquilo: habitaciones en el último piso de un hotel, desde cuyas ventanas se veía el estadio-aeropuerto por un lado, la ciudad y el río por el otro. La ciudad era como la Shanghai de nuestro propio tiempo, pero más grande aún, más alta, más· moderna. La pantalla de televisión pasaba reposiciones y comentarios de los Juegos Aéreos.

Linda Albright tocó un tablero de instrumentos para apagarlo y se dejó caer en el sofá, exclamando:

—¡Qué día!

—¿Cómo ocurrió? —preguntó Leslie—. ¿Cómo se llegó a...?

—Falté a mi propia regla —dijo su yo alternativo—: *mirar siempre atrás*. Xiao es un piloto estupendo; podríamos haber tenido un combate maravilloso, pero...

—No —corrigió mi esposa—; preguntaba cómo se iniciaron los Juegos. ¿Y por qué? ¿Qué representan?

—Es cierto que sois de otro tiempo, ¿eh? —dijo la piloto—. De alguna utopía donde no hay competencias, ¿verdad? Un mundo sin guerras, aburrido como el polvo.

—Nuestro mundo no carece de guerras —dije—. Y no es aburrido, sino estúpido. Mueren miles de personas, millones. La política nos causa miedo; las religiones nos enfrentan mutuamente.

Ella ahuecó un almohadón para poner detrás de su cabeza.

—También entre nosotros mueren miles —dijo, disgustada—. ¿Cuántas veces creéis que me han matado en mi carrera? No muchas desde que me hice profesional, toco madera, pero hay días como el de hoy. En 1980, todo el equipo norteamericano fue derribado por tres días consecutivos. Sin protección aérea por tres días, podéis imaginaros lo que nos pasó en Tierra y Mar. Los polacos... Bueno —exclamó, levantando las manos y meneando la cabeza—, no había modo de detenerlos. Nos borraron de la competencia internacional. ¡Tres divisiones, trescientos mil jugadores! Eliminaron a todo el equipo norteamericano. ¡Cero!

El relato calmó su enfado contra la derrota de ese día.

—Claro que no fuimos los únicos —agregó—. Los polacos aniquilaron también a la Unión Soviética, a Japón y a Israel. Finalmente, cuando derrotaron a Canadá por la copa de oro, ya os imagináis. En Polonia se volvieron locos. ¡Hasta compraron un canal propio para celebrar!

Parecía casi orgullosa al recordarlo.

—No comprendes —dijo Leslie—. Nuestras guerras no son juegos. No nos limitamos a matar a los jugadores en tablas de puntaje. ¡En nuestras guerras la gente muere de verdad!

La chispa se apagó.

—En las nuestras también, a veces —dijo Linda—. En los Juegos Aéreos hay colisiones en el aire. El año pasado, los británicos perdieron un barco de Juegos Marítimos con toda su tripulación, en una tormenta. Pero los peores son los Juegos Terrestres, porque se trata de maquinaria rápida en terrenos escarpados. En mi opinión, al saberse en cámara ponen un poco más de coraje que de sentido común. Demasiados accidentes...

—¿No comprendes lo que Leslie te dice? —le pregunté—. Para nosotros, en la vida real, las cosas se vuelven mortalmente graves.

—Mira —insistió ella—, cuando quiera se trata de lograr algo, las cosas *siempre* se vuelven peligrosas y mortalmente graves. Ahora tenemos la estación de Marte, con los soviéticos, y el año que viene será la misión Alfa del Centauro, en la que participan prácticamente todos los científicos del mundo. Pero una industria multimillonaria no va a detenerse sólo por algunos accidentes.

—No hay modo de hacerte entender, ¿eh? —insistió Leslie—. No estamos hablando de accidentes; no estamos hablando de juegos ni de competencias. Hablamos de asesinatos en gran escala. Intencionales y premeditados.

Linda Albright se incorporó para mirarnos, asombrada.

—¡Dios mío! —exclamó de pronto—. ¡Estáis hablando de *guerra*!

Le parecía tan inconcebible que ni siquiera lo

había tenido en cuenta. De pronto se mostró solidaria y preocupada.

–¡Oh, disculpad! –dijo–. Cómo iba yo a imaginar... Nosotros también tuvimos guerras, hace años. Guerras mundiales, hasta que comprendimos que la próxima sería nuestro fin.

–¿Qué hicisteis? ¿Cómo la evitasteis?

–No la evitamos –dijo–. Cambiamos. –Sonrió al recordar–. Fueron los japoneses los que iniciaron todo, con sus ventas de automóviles. Hace treinta años, Matsumota ingresó en las carreras aéreas norteamericanas; fue un recurso publicitario: pusieron el motor del automóvil Sundai a un avión de carrera. En las Carreras Aéreas Nacionales montaron microcámaras en las alas y consiguieron una buena filmación, que convirtieron en avisos publicitarios. A nadie le importó que hubieran terminado cuartos: las ventas del Sundai ascendieron hasta perderse de vista.

–¿Y eso cambió el mundo?

–En cámara lenta, sí. A continuación apareció Gordon Bremer, el promotor de los espectáculos aéreos, con la idea de poner en los aviones para espectáculos microcámaras de TV y armas de rayo láser; estipuló las reglas y ofreció grandes premios a los pilotos de combate. Por un mes o dos se trató sólo de un espectáculo local, pero de pronto el combate aéreo se convirtió en un deporte espectacular, como nadie lo hubiera imaginado. Es un juego en equipos, con estrellas, con toda la estrategia del karate, el ajedrez, el fútbol y la esgrima, en tres dimensiones, rápido y ruidoso. Parece más peligroso que el infierno.

Sus ojos volvieron a chisporrotear. Lo que había atraído a Linda Albright a ese deporte aún mantenía su hechizo sobre ella. No resultaba extraño que se destacara tanto.

–Con esas cámaras era como si cada espectador estuviera en la cabina. ¡No había nada igual! Todas las semanas, el Derby de Kentucky, las Quinientas Millas de Indianápolis y la Supercopa, todo en un solo espectáculo. Cuando Bremer empezó a transmitir el juego a toda la nación, fue como si hubiera acercado una chispa a un fardo de estopa. De inmediato se convirtió en el segundo de los deportes televisados en Norteamérica; después, en el primero. Por fin, los Juegos Aéreos norteamericanos se transmitieron por satélite a todo el mundo. ¡Cosa de locos!

—Dinero —sugirió Leslie.

—¡Dinero, por supuesto! Las ciudades principales adquirían franquicias sobre los equipos de Juegos Aéreos; después se formaron equipos nacionales con los semifinalistas. Por fin (y fue entonces cuando todo cambió de verdad) se creó la competencia internacional, una especie de Olimpíada Aérea profesional. Durante siete días, doscientos millones de televisores sintonizaban esos juegos; todos los países que podían poner aviones en el aire combatían como desesperados. ¿Os imagináis lo que eran los ingresos por publicidad, considerando lo numeroso del público? Algunos países pagaron sus deudas externas con las ganancias de esa primera competencia.

Los dos escuchábamos, hechizados.

—Resulta increíble que haya ocurrido tan súbitamente. Todas las ciudades que tenían un aeropuerto y unos cuantos aviones patrocinaban su propio equipo de aficionados. En cuanto a las metrópolis, en pocos años los niños de las barriadas pobres se convirtieron en héroes deportivos. Cualquiera que se considerara dotado de rapidez mental, inteligencia y valor, y quisiera convertirse en astro internacional de la televisión, podía ganar más dinero que un presidente. Mientras tanto las Fuerzas Aéreas estaban de capa caída. En cuanto los pilotos terminaban su adiestramiento, renunciaban para incorporarse a los Juegos. Y nadie se enrolaba, naturalmente. ¿Quién puede tener interés en trabajar como oficial por un sueldo bajo, viviendo según la ley militar en alguna base aérea olvidada de

Dios, cumpliendo tiempo en simuladores que son más examen y tensión nerviosa que vuelo, piloteando aviones enormes, mortíferos, poco divertidos, si lo único seguro es que uno será el primero en morir en caso de guerra? ¡Muy pocos, en verdad!

Por supuesto, pensé. Si en mi niñez hubieran existido equipos voladores civiles, la posibilidad de ganarse una plaza en la velocidad atronadora y una gloria distinta de la militar, el joven Richard no se habría enrolado en la Fuerza Aérea; habría sido tan ridículo como ofrecerse voluntariamente para la cárcel.

—Pero si hay tanto dinero en juego —dije—, ¿por qué seguís piloteando aviones a hélice? Disponéis de ¿cuánto? ¿Seiscientos caballos de fuerza? ¿Por qué no aviones a chorro?

—Novecientos caballos de fuerza —respondió la piloto—. Los aviones a chorro son demasiado aburridos. Su velocidad duplica la del sonido, o poco menos. Una batalla breve duraba medio segundo; una larga podría haber durado treinta segundos. Y durante casi todo ese período, los aviones estaban fuera de la vista. Con un parpadeo te perdías la acción. Después de que pasó el encanto de la novedad, los espectadores se cansaron de los aviones a chorro. No es fácil vivar a un técnico universitario que pilotea una computadora supersónica con alas.

—Comprendo el atractivo de los juegos para los pilotos —dijo Leslie—, pero ¿qué pasó con la Marina y el Ejército?

—No tardaron en seguir los mismos pasos. El Ejército tenía tantos tanques y tropas en Europa que acabó por pensar: "¿Por qué no poner algunas cámaras en ellos para sacar provecho de tanto hierro?" Y la Marina, por supuesto, no iba a quedar atrás. Entraron en los juegos a lo grande: el primer año, dos semanas de Juegos Marítimos: la Copa de América con cañones láser. Se los llamó Juegos de la Tercera Guerra Mundial, pero los militares eran lentos y algo aburridos. En televisión no se puede ganar con zánganos que no saben pensar por cuenta propia y con máquinas que no funcionan: se gana anotando puntos. Eso pasó de moda con mucha celeridad. Entonces intervino la industria privada, con equipos civiles de Mar y Tierra, más ligeros, más veloces, más inteligentes. Los militares abandonaron los Juegos por vergüenza. No podían mantener a los soldados, los conductores de tanques, los comandantes de naves, porque el dinero y la gloria estaban en los equipos de combate civiles.

En su teléfono parpadeaban las luces. Ella no les prestaba atención, concentrada en el deleite de explicar los Juegos a esos dos extraños, provenientes de un planeta guerrero.

—Ya nadie pensaba en combatir de verdad, porque participar en los Juegos requería mucho adiestramiento y mucha planificación. No tenía sentido planear una guerra que podía ser realidad en algún tiempo futuro, si existía la gratificación instantánea de combatir en el momento y de ganar dinero con eso.

—Y los militares, ¿tuvieron que cerrar la tienda? —pregunté, bromeando.

—Por fuerza, después de un tiempo. Por algunos años, los gobiernos siguieron dando fondos a los ejércitos, pero la revuelta impositiva y otras protestas pusieron fin a esa contribución.

—¿Y los militares murieron? —pregunté—. ¡Gracias a Dios!

—¡Oh, no! —rió Linda—. La gente los rescató.

—¿La gente *qué*? —se extrañó Leslie.

—¡Oh, no me interpretéis mal! ¡Nosotros amamos a los militares! Todos los años busco sus pequeños casilleros en mi formulario de impuestos y les doy una fortuna. ¡Porque cambiaron! Primero aprendieron a aligerarse; se deshicieron de tanta burocracia y dejaron de gastar el dinero por toneladas en tanta chatarra. Comprendieron que la única posibilidad de conseguir fondos era hacer algo que no estuviera al alcance de los Juegos... y hacerlo bien. Cosas peligrosas, estimulantes, que requirieran los recursos de naciones enteras: *icolonias en el espacio!* Diez años después teníamos en funcionamiento la estación de Marte y ahora vamos rumbo a Alfa del Centauro.

Se me ocurrió que podía dar resultado. Hasta entonces no había pensado que hubiera ninguna alternativa a la guerra, salvo la paz total. Era un error.

–¡Esto podría dar resultado! –dije a Leslie.

–Lo da, claro –afirmó ella–. Aquí lo ha dado.

–¡Resultados! –exclamó Linda–. Esa fue otra cosa: los resultados que tuvo en la economía. Se produjo una demanda monstruosa de elementos para lograr la excelencia en los Juegos. Mecánicos, técnicos, pilotos, estrategas, planificadores, grupos de apoyo... La cantidad de dinero es increíble. No sé cuánto se paga a los gerentes, pero un buen jugador puede ganar millones; un as, decenas de millones. Entre el sueldo básico, las bonificaciones por triunfo y los premios por descubrimiento cuando hallamos y adiestramos a un nuevo jugador... bueno, ganamos más de lo que podemos gastar. Hay peligro, lo suficiente como para mantenernos satisfechos... y algo más de lo suficiente, a veces. Sobre todo en la primera vuelta: no es cuestión de quedarse dormida, porque hay cuarenta y ocho combatientes a los manotazos en un solo bloque de video...

Se oyó un suave campanilleo a la puerta.

–Y los requerimientos del periodismo dejan contentos a los vanidosos más grandes del mundo, como yo –agregó Linda, mientras iba a atender–. Naturalmente, nadie tiene que adivinar quién ganará el año próximo; basta esperar al 21 de junio para verlo en televisión satelital. Mucha gente apuesta a los favoritos, por supuesto. A veces una se siente como caballo de carrera. Disculpadme un minuto.

Y abrió la puerta.

El hombre estaba escondido tras un ramo gigantesco de flores primaverales.

–Pobre querida –dijo su voz–. Esta noche necesitamos consuelo, ¿verdad?

–¡*Krys*!

Ella le echó los brazos al cuello. El marco de la puerta encerró a dos siluetas en relucientes trajes de piloto, mariposas entre las flores. Miré a Leslie y le pregunté, en silencio, si no era hora de retirarnos. Su yo alternativo se vería en figurillas para continuar una conversación con personas a las que su amigo no podía ver. Pero al volverme hacia la puerta comprendí que no habría dificultades: el hombre era yo.

–¿Qué estás haciendo aquí, cariñito? –preguntó Linda–. ¡Deberías estar en Taipei! ¿No estabas cumpliendo el tercer tiempo en Taipei?

El hombre se encogió de hombros, con la vista baja, y frotó su bota en la alfombra.

–¡Pero fue un combate grandioso, Linda! –aseguró.

Ella quedó boquiabierta.

–¿*Te derribaron*?

–Sólo fue una avería. Ese líder de escuadrilla, compatriota tuyo, es un piloto increíble. –Hizo una pausa para saborear el asombro de la mujer y estalló en una carcajada–. Pero no tanto. Olvidó que el humo blanco no es humo negro. A último momento bajé el tren de aterrizaje, giré con el acelerador a fondo y en cuanto lo tuve en la mira, *¡se la di!* Pura suerte, pero el director dijo que lucía estupendo en la pantalla. ¡Un combate de veintiún minutos! Como por entonces Taipei estaba fuera de nuestro radio, llamé al Tres de Shanghai. Y al aterrizar vi a tu avión allí, ¡negro como una oveja! En cuanto terminé con las entrevistas, se me ocurrió que a mi esposa le haría falta levantar un poco el ánimo...

En ese momento miró al otro lado de la habitación y, al vernos, giró nuevamente hacia Linda.

–Ah, estás con periodistas. Disculpa. ¿Te dejo por un rato?

–No son periodistas –replicó ella, observándolo. Y a nosotros–: Richard, Leslie, os presento a mi esposo: Krysztof Sobieski, el as del equipo polaco.

El hombre no era tan alto como yo; su pelo era más claro; sus cejas, más hirsutas. En la chaqueta blanca y carmesí se leía: *Escuadrilla 1 - Equipo Combate Aéreo de Polonia*. Fuera de esos detalles era como estar observando mi propia imagen sobresaltada. Nos saludamos, mientras Linda explicaba nuestra presencia con tanta sencillez como le era posible.

–Comprendo –dijo, intranquilo; nos aceptaba sólo porque su esposa lo hacía–. El lugar de donde venís, ¿se parece mucho al nuestro?

–No –respondí–. Tenemos la sensación de que vosotros habéis construido vuestro mundo sobre la base de los juegos, como si todo vuestro planeta fuera una feria de diversiones, un carnaval. Nos parece algo extraño.

–Acabáis de decirme que vuestro mundo está edificado sobre la base de la guerra, *la guerra de verdad,* asesinato masivo premeditado e intencional; que es un planeta dedicado a la autodestrucción –dijo Linda–. ¡Eso sí que es extraño!

–Esto puede pareceros una feria de diversiones –explicó el esposo, apresuradamente–, pero hay paz, mucho trabajo y prosperidad. Hasta la industria de armamentos prospera notablemente, pero ahora los aviones, los tanques y los barcos vienen con cañones que disparan municiones de fogueo, equipos flamígeros y medidores láser. ¿Para qué combatir, para qué matarnos, si podemos ofrecer el mismo combate por televisión satelital y seguir con vida para gastar nuestras ganancias? No tiene sentido matarse en una sola batalla. ¿Acaso los actores se matan en una sola película? Los juegos son una gran industria. Algunos dicen

151

que apostar en ellos está mal, pero a nosotros nos parece mejor apostar que... ¿cómo decís vosotros? ¿Desintegrarnos mutuamente?

Llevó a su esposa al sofá y siguió hablando sin soltarle la mano.

–¡Y Linda no les ha hablado del alivio de no tener que odiar a nadie! Hoy he visto a mi esposa derribada por un piloto chino. ¿Me vuelvo loco, odio al hombre que le disparó, odio a los chinos, odio la vida? Lo único que odiaría es estar en el pellejo de ese pobre hombre, la próxima vez que mi Linda se encuentre con él en el aire. ¡Porque es la Número Dos del equipo norteamericano! –Miró el ceño fruncido de su mujer.– Supongo que no os lo ha dicho, ¿eh?

–Si no miro hacia atrás –dijo ella–, seré la Número Ultimo. Nunca me sentí tan estúpida, Krys, nunca me sentí tan... Cuando quise darme cuenta se había encendido la luz de Derribado y ¡puf! Motor detenido. Y allá iba Xiao, como una flecha, riendo como loco...

Las luces del tablero telefónico, que en un principio se encendían de vez en cuando, se tornaron más insistentes. Por fin sonaron los teléfonos: un torrente de llamadas prioritarias de productores, directores, funcionarios del equipo, funcionarios municipales, solicitudes del periodismo y la televisión, invitaciones urgentes. Si aquellos dos hubieran vivido en nuestra época, los habríamos tomado por estrellas del rock en plena fama.

Cuántas cosas a preguntarles, pensé. Pero no sólo tenían que planear la estrategia del día siguiente con sus equipos, sino también conversar entre ellos y dormir.

Nos levantamos mientras ambos hablaban por teléfono y nos despedimos con un gesto silencioso. Linda cubrió el micrófono de su aparato con la mano.

–¡No os vayáis! Sólo tardaremos un segundo.

Krys hizo lo mismo.

—¡Esperad! ¡Podemos cenar juntos! ¡Quedaos, por favor!

—Gracias, pero no —rehusó Leslie—. Ya nos habéis dedicado demasiado tiempo.

—Felices aterrizajes para ambos —les deseé—. Y usted, señora Albright-Sobieski, desde ahora en adelante miremos atrás, ¿eh?

Linda Albright se cubrió la cara, fingiendo vergüenza, ruborizada, y su mundo desapareció.

13

Ya en el aire otra vez, parloteamos, entusiasmados, sobre Linda, Krys y su tiempo: una grandiosa alternativa a la guerra constante y los incesantes preparativos para la guerra que encerraban nuestro propio mundo en su Edad de las Tinieblas de alta tecnología.

—¡Esperanza! —dije.

—¡Qué contraste! —exclamó Leslie—. ¡Así una se da cuenta de cuánto estamos derrochando en miedos, sospechas y guerra!

—¿Cuántos mundos habrá tan creativos como ése? —me pregunté—. ¿Habrá más como el de ellos o más como el nuestro?

—Tal vez *todos* aquí sean creativos. ¡Aterricemos!

El sol, arriba, era una esfera de suave fuego cobrizo en un cielo violáceo. Su tamaño duplicaba el del sol que conocíamos, pero no era tan refulgente;

estaba más cerca, pero no por eso calentaba más; bañaba la escena en dulce oro. El aire olía levemente a vainilla.

Estábamos de pie en una colina, donde el bosque se encontraba con la pradera; a nuestro alrededor brillaba una galaxia espiralada de diminutas flores de plata. Allá abajo, por un lado, se extendía un océano casi tan oscuro como el cielo; un río de diamantes reverberaba hacia él. Por el otro lado, hasta donde alcanzaba nuestra vista, una amplia llanura se estiraba hasta horizontes de prístinas colinas y valles. Desierto y sereno, el Edén revisitado.

A primera vista habría jurado que estábamos en una tierra intocada por la civilización. ¿Acaso la gente se había convertido en flores?

—Esto es... parece *Viaje a las estrellas* —dijo Leslie.

Cielo alienígeno, encantadora tierra alienígena.

—Ni un alma —comenté—. ¿Qué estamos haciendo en un planeta silvestre?

—No puede ser tan silvestre. En alguna parte debemos estar nosotros.

La segunda mirada nos indicó observar mejor. Bajo el distante paisaje se veía un tablero de ajedrez muy difuso: sutiles líneas oscuras, como manzanas de ciudad; anchas líneas rectas, ángulos, como si en otros tiempos hubiera habido allí autopistas para el tránsito, ya desde hacía mucho convertidas en aire por la herrumbre.

Mi intuición rara vez falla.

—Ya sé qué ocurrió. ¡Hemos encontrado a Los Angeles, pero llegamos mil años tarde! ¿Ves? Allí estaba Santa Mónica; allá, Beverly Hills. ¡La civilización ha desaparecido!

—Tal vez —reconoció ella—. Pero en Los Angeles nunca hubo un cielo como éste, ¿verdad? Ni dos lunas —señaló.

Allá a la distancia, por sobre las montañas, flotaban una luna roja y otra amarilla, cada una más pequeña de lo que hubiera sido nuestra luna terrestre, una por encima de la otra.

–Hum –murmuré, convencido–. No es Los Angeles. *Viaje a las Estrellas.*

Un movimiento en los bosques, por el lado opuesto.

–¡Mira!

El leopardo vino hacia nosotros desde los árboles; su piel tenía el color del bronce crepuscular, marcado con audaces copos de nieve. Pensé "leopardo" por sus manchas, aunque la bestia tenía el tamaño de un tigre. Se movía con un paso extraño, entrecortado, forcejeando para trepar la colina. Cuando se acercó lo oímos jadear.

No hay posibilidad de que pueda vernos ni atacarnos, me dije. No aparece hambriento, aunque en el caso de los tigres nunca se sabe.

–¡Está herido, Richie!

Ese paso extraño no se debía a que se tratara de un animal alienígena, sino a que alguna fuerza espantosa lo había aplastado. Con los ojos dorados encendidos por el dolor, forcejeaba como si su vida dependiera de arrastrarse por el claro hasta llegar al bosque, a nuestras espaldas.

Corrimos a ayudar, aunque no se me ocurría qué hubiéramos podido hacer, aun si hubiéramos sido de carne y hueso.

Visto de cerca era enorme: su alzada era igual a la estatura de Leslie. Ese felino gigantesco debía de pesar una tonelada.

Se oía el tormento en su respiración; comprendimos que no le quedaba mucho tiempo de vida. Tenía sangre casi seca en los flancos y en las paletas. El animal cayó; logró dar algunos pasos más y se derrumbó nuevamente entre las flores plateadas. En los últimos minutos de vida, pensé, ¿por qué se desespera tanto por llegar a esos árboles?

–¿Qué podemos hacer, Richie? ¡No es cuestión de quedarse así, sin hacer nada! –Había angustia en los ojos de Leslie.– ¡Pobre animal!

Se arrodilló ante la enorme cabeza y trató de calmar al animal quebrado, de consolarlo. Pero su mano pasaba a través de la piel, sin que la bestia pudiera sentir su contacto.

–No hay problema, tesoro –le dije–. Los tigres eligen su destino, tal como nosotros elegimos el nuestro. La muerte no es el fin de la vida para ellos, como no lo es para nosotros...

Era cierto, pero ¡qué frío consuelo!

–¡No! No podemos haber llegado hasta aquí para ver a esta bella... ¿para verla morir? ¡No, Richie!

El gigante se estremeció en la hierba.

–Querida mía –dije, acercándola a mí–, hay un motivo. Siempre hay un motivo. Sólo que en este momento no sabemos cuál es.

La voz, desde el límite de la selva, era tan amante como la luz del sol, pero corrió como un trueno a través de la pradera.

–¡Tyeen!

Giramos en redondo.

Junto a las flores había una joven. Al principio me pareció que era Pye, pero tenía la piel más clara y el pelo de arce más largo que nuestra guía. Aun así, parecía tan hermana de nuestra guía de alter-mundos como de mi esposa: la misma curva de la mejilla, la misma mandíbula cuadrada. Lucía un vestido de color verde primaveral; sobre él, un manto de oscura esmeralda que llegaba al pasto.

Ante nuestros ojos corrió hacia el animal quebrado.

La gran bestia se movió y levantó la cabeza, para toser un último rugido roto hacia ella, por entre las flores.

La mujer llegó en un revoloteo de verdes y se arrodilló a su lado, sin temor, para tocarlo con suavidad. Sus manos eran diminutas sobre la cara enorme.

—Arriba, vamos —susurró.

El animal se esforzó en obedecer, arañando el aire con las zarpas.

—Temo que está malherido, señora —dije—. Probablemente no se pueda hacer gran cosa...

Ella no me escuchó. Con los ojos cerrados, concentró su amor en la monstruosa silueta y la acarició con mano ligera. De pronto abrió los ojos y pronunció.

—Tyeen, pequeña, ¡levántate!

La tigresa, con un nuevo rugido, se levantó de un salto, entre una lluvia de hierbas al aire, y aspiró profundamente, irguiéndose por sobre la mujer hundida entre las flores. Ella se levantó y le rodeó el cuello con los brazos. Tocó sus heridas, le acarició el pelaje de las paletas.

—Tyeen, gata tonta —murmuró—, ¿dónde está tu conocimiento? ¡No es ésta tu hora de morir!

La sangre coagulada había desaparecido; el exótico pelaje se había sacudido el polvo. El gran animal miró hacia abajo, a esa persona; por un momento cerró los ojos y le hociqueó el hombro.

—Te pediría que te quedaras —dijo la mujer—, pero ¿cómo hacer razonar a los cachorros hambrientos? ¿eh? Anda, vete.

Un gruñido como de dragón, reacio a alejarse.

—¡Ve! Y ten cuidado con los barrancos, Tyeen —dijo ella—. ¡No eres una cabra de montaña!

La gigante volvió la cabeza hacia ella; después se sacudió y se alejó a brincos largos, gracia fácil a través de la pradera, sombras ondulantes, hasta desaparecer entre los árboles.

La mujer la observó hasta perderla de vista. Luego se volvió hacia nosotros, desenvuelta.

—Le encantan las alturas —dijo, resignada a tanta estupidez—. Las alturas la apasionan y no logra entender que no cualquier roca soporta su peso.

—¿Qué hiciste? —preguntó Leslie—. Nos pareció... se la veía tan mal que...

La mujer se volvió para caminar hacia las cumbres, indicándonos por señas que la siguiéramos.

—Los animales sanan pronto —dijo—, pero a veces necesitan un poco de amor para salir del trance. Tyeen es una vieja amiga.

—Nosotros también debemos de ser viejos amigos —observé—, puesto que nos ves. ¿Quién eres?

Nos estudiaba en tanto caminábamos. Ese rostro bello, cuyos ojos eran más verdes que el mismo manto, nos escrutó por un instante, con la celeridad del láser, en pequeñas miradas a derecha e izquierda, leyéndonos el alma a toda velocidad. ¡Qué inteligencia la de aquellos ojos! Nada de disimulos, nada de defensas.

Por fin sonrió, como si de buenas a primeras algo cobrara sentido.

—¡Leslie y Richard! —saludó—. ¡Soy Mashara!

¿Cómo podía conocernos? ¿Dónde nos habían presentado? ¿Qué papel jugaba en ese lugar y qué era ese lugar para ella? Mis preguntas se borronearon. ¿Qué clase de civilización vivía allí, invisible? ¿Cuáles eran sus valores? *¿Quién era esa persona?*

—Soy vosotros en mi dimensión —dijo, como si hubiera escuchado mis pensamientos—. Quienes os conocen aquí os llaman Mashara.

—¿Qué es esta dimensión? —preguntó Leslie—. ¿Dónde está situado este lugar? ¿Cuándo...?

Ella se echó a reír.

—Yo también tengo preguntas que haceros. Venid.

Apenas por detrás del límite de la pradera había una casa, no más grande que una cabaña de leñadores. Estaba construida de roca sin cemento: las piedras habían sido talladas y dispuestas de modo tal que entre ellas no se habría podido introducir el filo de un naipe. Las ventanas no tenían vidrios. Tampoco había puerta en el vano.

Una familia de gordas aves de corral pasaron trotando en fila india por el patio. Un animal peludo, enroscado en una rama de árbol, todo anillos de color y máscara de bandido, abrió los ojos por un momento, al acercarnos nosotros; de inmediato los cerró para seguir durmiendo.

Mashara nos invitó a pasar después que ella. Adentro, un animal parecido a una llama joven, del color de una nube estival, dormitaba en una alfombra de hojas y paja, cerca de la ventana. La curiosidad la llevó a inclinar las orejas hacia nosotros, pero no fue tanto como para que se levantara.

En la casita no había cocina, despensa ni cama, como si esa persona no comiera ni durmiera. Sin embargo estaba llena de calidez y suave protección. Si me hubiera visto obligado a adivinar, habría dicho que Mashara era la bruja buena del bosque.

Nos condujo hasta unos bancos dispuestos ante una mesa, cerca de la ventana grande; desde allí se veían árboles, la pradera y el valle.

—El mío es un espacio-tiempo paralelo al vuestro —dijo—. Pero ya lo sabéis, por supuesto. Otro planeta, otro sol, otra galaxia, otro universo. El mismo Ahora.

—Mashara —dijo Leslie—, ¿acaso pasó aquí algo terrible, hace mucho tiempo?

Capté su pensamiento: las líneas en la tierra, el planeta vuelto a la vida salvaje. ¿Era Mashara la última sobreviviente de una civilización que en otros tiempos había gobernado allí?

—¡Recordáis! —dijo nuestro yo alternativo—. Pero ¿es tan malo que desaparezca una civilización capaz de reducir el planeta a ruinas, desde el fondo del mar a la estratósfera? ¿Es malo que el planeta cicatrice solo?

Por primera vez me sentí intranquilo en ese lugar, imaginando cómo habrían sido sus últimos días, su muerte aullante y gemebunda.

161

–¿Es bueno que perezca cualquier vida? –pregunté a mi vez.

–Que perezca, no –dijo ella, después de un instante–, pero sí que cambie. Hubo aspectos de vosotros que eligieron esa sociedad. Aspectos que disfrutaban de ella, espectros que lucharon desesperadamente por cambiar. Algunos ganaron; otros perdieron; todos ellos aprendieron.

–Pero el planeta se recuperó –dijo Leslie–. ¡Míralo! Ríos, árboles, flores... ¡Es bellísimo!

–El planeta se recuperó. Las gentes, no. –Mashara apartó la vista.

En esa persona no había orgullo, no había modestia, no juzgaba. Sólo había la verdad de lo ocurrido.

La llama se levantó para salir, lentamente.

–La evolución hizo de la civilización el timonel de este planeta. Cien mil años después, el timonel se irguió ante la evolución, no para ayudar, sino para destruir; no para curar, sino como parásito. Por lo tanto, la evolución le quitó su don, dejó la civilización a un lado, rescató al planeta de la inteligencia y lo entregó al amor.

–¿Este... éste es tu trabajo, Mashara? –preguntó Leslie–. Rescatar planetas?

Ella asintió.

–Rescatar a éste. Para el planeta, yo soy paciencia y protección, soy compasión y entendimiento. Soy las metas más altas que el pueblo antiguo vio en sí. Una bella cultura, en muchos sentidos; una preciosa sociedad, atrapada al fin por su codicia y su falta de visión. Asoló el bosque hasta convertirlo en desierto; consumió el alma de la tierra en los pozos de las minas y con los desechos; contaminó el aire y sus océanos; esterilizó la tierra con venenos y radiación. Tuvo un billón de oportunidades de cambiar, pero no lo hizo. Del suelo extrajo lujos para unos pocos, trabajo para el resto y tumbas para los hijos de todos. Hacia el final, los hijos se declararon en desacuerdo, pero habían llegado demasiado tarde.

—¿Cómo pudo una civilización entera haber sido tan ciega? —pregunté—. Lo que haces ahora... ¡Tú tienes la solución!

Se volvió hacia mí, amor implacable.

—Yo no tengo la solución, Richard —dijo—. Yo *soy* la solución.

Por un rato reinó el silencio. El borde del sol tocaba ya el horizonte, pero faltaba un largo rato para la oscuridad.

—¿Qué fue de los otros? —preguntó Leslie.

—En los últimos años, cuando comprendieron que era demasiado tarde, construyeron supercomputadoras hiperconductivas. Nos construyeron en sus cúpulas, nos enseñaron a restaurar la tierra y nos soltaron afuera, para que trabajáramos al aire libre, un aire que ellos ya no podían respirar. Su último acto, como si pidieran perdón a la tierra, fue entregarnos las cúpulas para que salváramos toda la vida silvestre que pudiéramos. Ecólogos de reconstrucción planetaria, nos llamaron. Así nos llamaron, nos dieron su bendición y salieron juntos a la ponzoña, hacia el lugar que antes habían ocupado los bosques. —Bajó la vista—. Y desaparecieron.

Escuchamos el eco de sus palabras, imaginando la soledad, la desolación que habría soportado esa mujer.

Había dejado caer la frase con mucha ligereza.

—Mashara —dije—, ¿te *construyeron*? ¿Eres una computadora?

Su adorable rostro se volvió hacia mí.

—Se me puede clasificar como computadora —dijo—. A ti también.

Parte de mí comprendió, al formular la pregunta, que estaba perdiendo de vista la gran imagen; perdía el quién era por el qué era.

—¿Eres...? —pregunté. Mashara, ¿estás viva?

−¿Te parece imposible? −preguntó ella−. ¿Acaso importa que la humanidad brille a través de átomos de carbono, de siliconas, de galio? ¿Existe por ventura algo que nazca humano?

−¡Por supuesto! Lo más indigno... hasta los destructores, hasta los asesinos son humanos −dije−. Quizá no nos guste, pero son seres humanos.

Ella meneó la cabeza.

−Un ser humano es una expresión de vida; trae la luz, refleja el amor a través de cualquier dimensión que elija tocar, en cualquier forma que prefiera adoptar. La humanidad no es una descripción física, Richard, sino una meta espiritual. No es algo que se nos dé, sino algo que ganamos.

Asombroso, para mí el pensamiento, forjado en la tragedia de ese lugar por mucho que me esforzara en ver a Mashara como máquina, como computadora, como *cosa*, no podía. No era la química de su cuerpo lo que definía su vida, sino la profundidad de su amor.

−Creo que estoy habituado a llamar humanas a las personas −dije.

−Tal vez deberías pensarlo mejor −replicó Mashara.

Una parte de mí, monstruo de feria, devoraba con los ojos a esa mujer, a través del resplandor de su nuevo rótulo. ¡Una supercomputadora! Tenía que ponerla a prueba.

−¿Cuánto es trece mil doscientos noventa y siete dividido dos coma tres dos tres siete nueve cero cero uno al cuadrado?

−¿Tengo que responderte?

Asentí. Ella suspiró.

−Dos cuatro seis dos, coma cuatro cero siete cuatro cero dos cinco ocho cuatro ocho dos ocho cero seis tres nueve ocho uno... ¿Cuántos decimales quieres?

−¡Asombroso! −exclamé.

−¿Cómo sabes que no estoy inventando? −preguntó ella, mansa.

—Disculpa. Es que pareces tan...

—¿Quieres una última prueba? —preguntó Mashara.

—Richard —advirtió Leslie, voz cautelosa.

La mujer le agradeció con una mirada.

—¿Conoces la prueba definitiva de la vida, Richard?

—Bueno, no. Siempre hay un límite entre...

—¿Quieres responderme una sola pregunta?

—Por supuesto.

Me miró directamente a los ojos, la bruja buena del bosque, sin temer a lo que sobrevendría.

—Dime, ¿cómo te sentirías si yo muriera en este momento?

Leslie ahogó una exclamación. Yo me levanté de un salto.

—¡No!

Me cruzó una puñalada de pánico ante la posibilidad de que el amor más elevado que nuestro yo alternativo pudiera escoger fuera la autodestrucción, para permitirnos experimentar la pérdida de la vida que ella era.

—¡No, Mashara!

Cayó tan liviana como una flor y permaneció inmóvil, muda como la muerte; los adorables ojos verdes quedaron sin vida.

Leslie se precipitó hacia ella, el fantasma de una persona hacia el fantasma de una computadora; la abrazó con tanta suavidad como la bruja buena había abrazado a su gran felino amado.

—¿Y cómo te sentirás tú, Mashara —dijo—, cuando Tyeen, sus cachorros, los bosques, los mares y el planeta que se te dio para amar mueran contigo? ¿Los honrarás como nosotros te honramos?

Poquito a poco, la vida volvió; la encantadora Mashara se movió para mirar de frente a su hermana de otro tiempo. Cada una, espejo de la otra; los mismos valores orgullosos brillaban en mundos diferentes.

—Os amo —dijo Mashara, incorporándose con lentitud para mirarnos—. Jamás penséis... que no me importa...

Leslie sonrió con la sonrisa más triste.

—¿Cómo contemplar tu planeta sin darse cuenta de que amas? ¿Cómo amar nuestra propia tierra sin amarte a ti, querida timonel?

—Debéis iros —dijo Mashara, con los ojos cerrados. Y en un susurro—: Recordad, por favor.

Tomé a mi esposa de la mano e hice un gesto de asentimiento.

—Las primeras flores nuevas que plantemos año a año, los primeros árboles nuevos —dijo Leslie—, los plantaremos por Mashara.

La llama cruzó suavemente el umbral, con las orejas hacia adelante, los ojos oscuros, el hocico de terciopelo estirado en señal de preocupación hacia la mujer que representaba el hogar. Lo último que vimos fue a la bruja buena del bosque, con los brazos rodeando el cuello del animal: lloraba.

La casita se fundió en llovizna y sol; Gruñón volvía a desprenderse, libre por sobre el diseño.

—¡Qué alma encantadora! —comenté—. ¡Uno de los seres humanos más preciosos que conocemos es una computadora!

14

Volábamos envueltos en el amor de Mashara, aún llenos de imágenes de su bello planeta. ¡Qué adecuado nos parecía tener amigos en otros mundos que no fueran el nuestro!

Algunas de nuestras exploraciones habían sido un goce; otras, horror. Pero nuestras curvas de aprendizaje ascendían sin cesar. Habíamos visto y palpado cosas que no habríamos podido imaginar en cien vidas. Y queríamos más.

A poca distancia, el diseño tomaba un color rosado intenso y los senderos relumbraban, dorados. No me hizo falta la intuición para saber que yo deseaba tocar esos colores. Miré a Leslie. Ella asintió con la cabeza.

—¿Lista para cualquier cosa?

—Creo que sí...

Me dedicó su impresión de pasajera aterrorizada, con los brazos alzados contra la pantalla antideslumbrante.

Cuando salimos de la llovizna del acuatizaje nos encontramos deslizándonos ociosamente por el agua. No nos habíamos movido de la cabina. ¡Eso no era océano y el diseño había desaparecido!

Flotábamos en un lago de montaña, pinos y abetos descendiendo hasta la playa color miel, agua centelleante bajo nosotros, sol reverberando en la arena. Flotamos a la deriva por un instante, tratando de comprender.

—¡Leslie! —grité—. ¡Es aquí donde practico acuatizajes! ¡Esto es el lago Healey! ¡Hemos salido del diseño!

Ella buscó alguna señal que indicara lo contrario.

—¿Estás seguro?

—Bastante.

Volví a verificar. Empinadas cuestas boscosas a la izquierda, árboles bajos al final del lago. Más allá de los árboles debía de estar el valle.

—¡Hurra! —exclamé.

Pero la palabra sonó a hueco y la dije solo. Me volví hacia Leslie. Tenía la cara marcada por la desilusión.

—Ya sé que debería alegrarme, pero cuando apenas empezábamos a aprender, quedando aún tanto por captar...

Tenía razón. Yo también me sentía burlado, como si se hubieran encendido las luces y los actores se retiraran del escenario antes de finalizar la obra.

Bajé el timón de agua y presioné el pedal para girar hacia la playa. Leslie aspiró bruscamente.

—¡Mira! —señaló.

Al girar, justo delante del ala derecha, con el morro apoyado en la arena, había un Martín Avemarina.

—¡Ajá! —dije—. Es como te digo, estoy seguro. Aquí practica todo el mundo. Estamos en casa, sí.

Toqué el acelerador y cruzamos el lago, susurrantes, rumbo al otro hidroavión.

No se veía movimiento por ninguna parte, ni la menor señal de vida. Apagué el motor y recorrimos en silencio los últimos metros. La proa rozó suavemente la arena, a sesenta metros del otro aparato.

Me quité los zapatos, me hundí en el agua hasta los tobillos y ayudé a Leslie para que descendiera. Después levanté la proa del barco volador y la deslicé treinta centímetros más hacia la costa.

Leslie se acercó al otro Avemarina, mientras yo fijaba el ancla en la arena.

– ¡Hola! –saludó–. ¡Hola!

– ¿No hay nadie? –pregunté, acercándome a ella.

No respondió. Estaba de pie junto al otro hidroavión, mirando el interior de la cabina.

Ese barco volador era un gemelo de Gruñón; estaba pintado con el mismo diseño blanco-y-arco-iris que nosotros habíamos creado. El interior de la cabina era del mismo color; tenía la misma tela y la misma alfombra en el suelo; era nuestro propio diseño, incluida la pantalla antideslumbrante hecha a medida y los carteles del tablero de instrumentos.

– ¿Coincidencia? –preguntó Leslie–. ¿Otro hidroavión *exactamente igual a Gruñón?*

– Extraño. Muy extraño.

Alargué la mano para tocar la caja del motor. Aún estaba caliente.

– Oh-oh –murmuré, asaltado por una sensación extraña.

Tomé a Leslie de la mano y ambos emprendimos el regreso a nuestro propio aparato. A medio camino ella se detuvo y volvió atrás.

– ¡Mira eso! No hay más huellas que las nuestras. ¿Cómo pudo alguien acuatizar, bajar de su avión y desaparecer sin dejar una sola huella?

Permanecimos entre los dos Gruñones, atónitos.

– ¿Estás seguro de que hemos vuelto a casa?

—preguntó ella—. Se diría que aún estamos en el diseño.

—¿Un duplicado del lago Healey? —pregunté—. ¿Y cómo es posible que *nosotros mismos* dejemos huellas si aún somos fantasmas?

—Tienes razón. Y si hubiéramos aterrizado en el diseño, aquí habría algún aspecto de nosotros —completó ella.

Quedó sin palabras por un momento; miraba hacia el otro Avemarina, desconcertada.

—Si todavía estamos en el esquema, esto podría ser una prueba —sugerí—. Puesto que aquí no parece haber nadie, la lección podría ser que ellos están, bajo alguna otra forma. No podemos estar separados de nosotros mismos. Nunca estamos solos, a menos que así lo creamos.

A seis metros de distancia centelleó un rayo rubí. Allí, de blusa y jeans blancos, estaba nuestra alter-yo india.

—¿Por qué os amo? ¡Porque os *acordáis*! —Nos tendió los brazos.

—¡Pye! —Mi esposa corrió a abrazarla.

En ese lugar, con diseño o sin él, no éramos fantasmas: las dos se abrazaron.

—¡Cuánto me alegro de verte! —exclamó Leslie—. No te imaginas dónde hemos estado. Las personas más adorables, las más perversas... Oh, Pye, tenemos tanto que contarte, hay tanto que necesitamos saber...

Pye se volvió hacia mí.

—¡Es una alegría volver a verte! —le aseguré, abrazándola también—. ¿Por qué te marchaste tan de súbito?

Sonriente, caminó hasta la orilla y se sentó en la playa, cruzada de piernas; dio unas palmaditas en la arena para indicarnos que hiciéramos lo mismo.

—Porque estaba bastante segura de lo que sucedería —declaró—. Cuando amas a alguien y sabes que ese alguien está listo para aprender y crecer, lo dejas en libertad. ¿Cómo habríais podido aprender, cómo habríais sentido vuestras experiencias, sabiendo que yo estaba allí, como escudo entre vosotros y vuestras elecciones?

Se volvió hacia mí, sonriente.

—Este es un lago Healey alternativo —confirmó—. El hidroavión fue para divertirme. Me hicisteis recordar lo mucho que me gusta volar; por eso reproduje vuestro Gruñón y partí para practicar y hallaros. Toda una sorpresa, ¿verdad?, acuatizar con las ruedas bajas en el agua.

Vio mi espanto y levantó una mano.

—Me di cuenta a tiempo. Un momento antes de tocar el agua, convoqué la habilidad de ese aspecto de mí que más hábil es con los hidroaviones, y tú me chillaste: "¡Ruedas arriba!" Gracias.

Tocó a Leslie en el hombro.

—¡Qué observadora fuiste al notar que yo no dejaba huellas en la arena! Eso fue para recordaros que debéis elegir vuestro propio camino, seguir vuestro más elevado sentido del bien y no el ajeno. Pero ya lo sabéis.

—Oh, Pye —exclamó Leslie—, ¿cómo seguir nuestro más elevado sentido del bien, qué hacer en un mundo que...? ¿Conoces a Iván y a Tatiana?

Ella asintió.

—¡Los amábamos! —dijo Leslie, con la voz quebrada—. Y fueron *norteamericanos* quienes los mataron! ¡Fuimos *nosotros,* Pye!

—No fuisteis vosotros, querida. ¿Cómo puedes pensar que vosotros seríais capaces de matarlos? —Levantó el mentón de Leslie para mirarla a los ojos.— Recuerda que nada en el diseño es azar, nada carece de motivo.

—¿Qué motivo pudo haber? —le espeté—. ¡Tú no estuviste allá, no experimentaste ese terror!

La noche vivida en Moscú volvió en torrentes,

171

como si nosotros hubiéramos asesinado a nuestra propia familia en la oscuridad.

—El esquema tiene todas las posibilidades, Richard —dijo ella, con suavidad—, una absoluta libertad de elección. Es como un libro. Cada acontecimiento es una palabra, una frase, parte de una historia sin fin; cada letra permanece para siempre en la página. Lo que cambia es *la conciencia*, que elige qué leer y qué dejar a un lado. Cuando encuentras una página sobre la guerra nuclear, ¿te desesperas o la lees para ver qué dice? ¿Morirás leyendo la página o pasarás a otras páginas, más sabio por lo que hayas leído?

—No morimos —reconocí—. Y espero que ahora seamos más sabios.

—Compartisteis una página con Tatiana e Iván Kirilov; al final de la lectura esa página fue vuelta. Aún existe, en este momento, a la espera de poder cambiar el corazón de quienquiera elija leerla. Pero después de haber aprendido no es necesario que volváis a leerla. Habéis pasado más allá de esa página, y ellos también.

—¿Es cierto eso? —preguntó Leslie, atreviéndose a la esperanza.

Pye sonrió.

—¿Acaso Linda Albright no se parecía un poquito a Tatiana Kirilova? Y Krysztof ¿no os hizo pensar lejanamente en vuestro amigo Iván? Esos pilotos de los Juegos Aéreos, ¿no transformaron en entretenimiento el horror de la guerra, salvando a su mundo de la destrucción? *¿Quiénes creéis que son?*

—¿Los mismos —dijo Leslie— que leyeron con nosotros esa página sobre una noche terrible en Moscú?

—¡Sí! —confirmó Pye.

—¿Y son también nosotros? —pregunté.

—¡Sí! —Sus ojos chisporroteaban.— ¡Tú y Leslie, Linda, Tatiana y Mashara, Jean-Paul, Atila, Iván, Atking, Tink y Pye, *todos,* somos, uno!

Diminutas olas lamían la arena; se oía el viento suave entre los árboles.

—Existe un motivo por el que os encontré —dijo—, un motivo por el que encontrasteis a Atila. ¿Os interesan la paz y la guerra? Caéis en páginas que os hacen comprender profundamente la paz y la guerra. ¿Teméis veros separados o morir y perderos mutuamente? Caéis en vidas que os hablan de la separación y de la muerte. Lo que aprendáis cambiará el mundo a vuestro alrededor por siempre. ¿Amáis la tierra y os preocupa que la humanidad la esté destruyendo? Veis lo peor y lo mejor que puede suceder y aprendéis que todo depende de vuestra propia elección individual.

—¿Eso significa que creamos nuestra propia realidad? —pregunté—. Sé que así dicen, Pye, pero no estoy de acuerdo...

Ella rió con alegría y señaló el horizonte, hacia el este.

—Es temprano, muy temprano por la mañana —dijo, con la voz súbitamente grave y misteriosa—. Está oscuro. Nos encontramos en una playa como ésta. El primer resplandor del alba. Hace frío.

Estábamos con ella en el frío y en la oscuridad, viviendo su historia.

—Frente a nosotros tenemos un caballete y una tela; en la mano, pinturas y pinceles.

Era como estar hipnotizado por aquellos ojos oscuros. Sentí la paleta en la mano izquierda, los pinceles en la derecha: pinceles con toscos mangos de madera.

—Ahora se eleva la luz en el cielo. ¿La veis? —continuó—. El firmamento se está convirtiendo en fuego, corre el oro, prismas de hielo se funden en el amanecer.

Vimos, atónitos de colores.

—¡Pintad! —nos alentó Pye—. ¡Captad ese amanecer en la tela! ¡Recibid su luz en la cara, por los ojos,

173

vertedlo en arte! ¡Pronto ya, pronto! ¡Vivid el alba con vuestro pincel!

No soy pintor, pero en mi mente estaba esa gloria convertida en audaces pinceladas sobre la tela. Imaginé el caballete de Leslie; vi su propio amanecer, maravillosamente delicado, cuidadosos rayos entremezclados en un estallar de estrellas en óleos.

—¿Listo? —preguntó Pye—. ¿Pinceles arriba?

Asentimos.

—¿Qué habéis creado?

En ese momento yo habría pintado a nuestra maestra, tan oscuramente luminosa.

—Dos amaneceres muy distintos —dictaminó Leslie.

—Dos amaneceres, no —corrigió Pye—. El artista no crea el amanecer. Crea...

—¡Oh, por supuesto? —exclamó Leslie—. ¡El artista crea *el cuadro*!

Pye asintió.

—¿El amanecer es la realidad, el cuadro lo que de él hacemos? —inquirí.

—¡Exacto! —dijo Pye—. Si cada uno de nosotros tuviera que crear su propia realidad, ¿imagináis el caos? ¡La realidad estaría limitada a lo que cada uno de nosotros pudiera inventar!

Asentí, imaginando. ¿Cómo crear amaneceres sin haberlos visto? ¿Qué hacer con una noche negra como principio del día? ¿Se me habría ocurrido el cielo? ¿La noche, el día?

Pye prosiguió:

—La realidad no tiene nada que ver con las apariencias, con nuestra estrecha manera de ver. La realidad es el amor expresado, un amor puro y perfecto, jamás rozado por el espacio y el tiempo. ¿Alguna vez os sentisteis uno con el mundo, con el universo, con *todo lo que existe,* al punto de que os abrumara el amor? —Paseó la mirada entre Leslie y yo. —*Eso* es la realidad. *Eso* es la verdad. Lo que de ello hagamos de-

174

pende de nosotros, como el cuadro del amanecer depende del artista. En vuestro mundo, la humanidad se ha alejado de ese amor. Vive en el odio, las luchas del poder, las manipulaciones de la tierra misma, por sus propios motivos estrechos. Si continúa así, nadie verá el amanecer. El amanecer existirá siempre, por supuesto, pero la gente de la tierra nada sabrá de él. Y al fin, hasta los relatos de su belleza desaparecerán del conocimiento.

Oh, Mashara, pensé. ¿Es preciso que tu pasado sea nuestro futuro?

−¿Cómo podemos llevar el amor a nuestro mundo? −preguntó Leslie.− ¡Hay tantas amenazas, tantos... Atilas!

Pye calló por un momento, buscando un cuento para narrarnos. Por fin dibujó en la arena un pequeño cuadrado.

−Supongamos que vivimos en un sitio horrible: Ciudad Amenaza −propuso, tocando el cuadrado−. Cuanto más tiempo pasamos aquí, menos nos gusta. Hay violencia, destrucción, no nos gusta la gente, no nos gustan sus elecciones, no nos sentimos a gusto aquí. ¡Ciudad Amenaza no es nuestro hogar!

Trazó una línea ondulante que se alejaba del cuadrado, toda ángulos y retrocesos. Al final de esa línea dibujó un círculo.

−Así, un día preparamos nuestro equipaje y nos alejamos de allí, buscando la ciudad de la Paz. −Siguió con el dedo la difícil ruta que había trazado, marcando todos sus giros y desvíos.− Elegimos virajes a la izquierda y a la derecha, autopistas y atajos; seguimos el mapa de nuestras mejores esperanzas y al fin nos encontramos aquí, en este dulce rincón.

Paz era el círculo trazado en la arena; allí se detuvo el dedo de Pye. Mientras hablaba fue plantando ramitas verdes en la arena, como si fueran árboles.

−En Paz encontramos un hogar; a medida que vamos conociendo a la gente, descubrimos que comparten los mismos valores por los que nosotros vinimos. Cada uno ha hallado su propia ruta, ha seguido su propio mapa hasta este lugar, donde el pueblo ha elegido el amor, la alegría y la bondad, entre sí, para con la ciudad y para con la tierra. No necesitamos convencer a todos los que viven en Ciudad Amenaza de que se muden con nosotros a Paz; no necesitamos convencer a nadie más que a nosotros mismos. Paz ya existe y quienquiera lo desee puede mudarse allá cuando así lo decida.

Nos miró, casi tímida en su relato.

—El pueblo de Paz ha descubierto que el odio es el amor sin los datos necesarios. ¿A qué decir mentiras que nos separen y nos destruyan, si la verdad es que somos uno? El pueblo de Ciudad Amenaza es libre de escoger la destrucción, así como nosotros somos libres de escoger la paz. Con el tiempo, otros en Ciudad Amenaza pueden cansarse de la violencia; tal vez sigan su propio mapa hasta Paz y elijan, como nosotros, dejar la destrucción atrás. Si todos toman esa decisión, Ciudad Amenaza se convertirá en una población fantasma.

Trazó en la arena un número ocho, una suave ruta curva entre Paz y Ciudad Amenaza.

—Y un día, el pueblo de Paz recordará, curioso, y quizá visite las ruinas de Ciudad Amenaza; entonces descubrirá que, una vez desaparecidos los destructores, la realidad vuelve a ser visible: arroyos límpidos, en vez de venenos torrentosos; nuevos bosques que surgirán entre las rutas y las minas, pájaros cantando en el aire puro.

Pye plantó otras ramitas en la nueva ciudad.

—Y los habitantes de Paz arrancan el letrero que cuelga en los lindes, torcido, el letrero que dice "Ciudad Amenaza", y lo reemplazan por un cartel nuevo: "Bienvenidos a Amor". Algunos vuelven para retirar los escombros, reconstruyen con suavidad las calles perversas y prometen que la ciudad hará justicia a su nombre. Elecciones, queridos míos, ¿comprendéis? ¡Todo consiste en elecciones!

En ese momento, en ese extraño lugar, lo que ella decía tenía sentido.

—¿Qué podéis hacer? —preguntó—. En la mayor parte de los mundos, las cosas no cambian por medio de milagros súbitos. El cambio se produce con el girar de una hebra frágil y trémula entre país y país: los primeros Juegos Aéreos para aficionados en el mundo de Linda Albright; en el vuestro, los primeros bailarines, cantantes o películas soviéticas que se presentaron al público norteamericano. Lentamente, poco a poco, siempre eligiendo la vida.

—¿Y por qué no de la noche a la mañana? —pregunté—. En ninguna parte está escrito que el cambio rápido sea imposible.

—Claro que el cambio rápido es posible, Richard —replicó ella—. El cambio se produce a cada segundo, lo percibas o no. Vuestro mundo, con su primera hebra de esperanza de un futuro en paz, es tan cierto como el mundo alternativo que terminó en 1963 o en el primer día de su última guerra. Cada uno de nosotros elige el destino de nuestro mundo. Las mentes deben cambiar antes que los acontecimientos.

—¡Entonces lo que dije al teniente era cierto! —exclamé—. Uno de mis futuros, en 1963, fue que los soviéticos no se echaron atrás. Y yo inicié una guerra nuclear.

—Por supuesto. El diseño tiene miles de caminos que llegan a su fin en ese año, miles de Richards alternativos que eligieron experiencias de muerte allí. Tú no lo hiciste.

—Un momento —dije—. En los mundos alternativos que no sobrevivieron, ¿no había personas inocentes que estaban paseando cuando estallaron, quedaron congelados, se evaporaron, fueron comidos por las hormigas o lo que fuera?

—Por cierto. ¡Pero la destrucción de su planeta es

lo que ellos eligieron, Richard! Algunos eligieron por abandono: no les interesaba; otros, porque creían que la mejor defensa era un buen ataque; otros pensaban que no estaba en su poder evitarlo. Un modo de elegir un futuro es considerarlo inevitable.

Hizo una pausa y dio unos golpecitos al círculo de los árboles diminutos.

—Cuando elegimos la paz, vivimos en paz.

—¿Existe un modo de hablar con las personas que viven allí, una manera de dirigirnos a los nosotros alternativos cuando necesitamos saber lo que ellos han aprendido? —preguntó Leslie.

Pye le sonrió.

—Es lo que estáis haciendo ahora.

—Pero ¿cómo lo hacemos —intervine—, sin meternos en un hidroavión y encontrar la única oportunidad en billones de pasar a una dimensión diferente para reunirnos contigo?

—¿Quieres algún modo de conversar con cualquier yo alternativo que se te ocurra?

—Por favor —pedí.

—No es muy misterioso, pero da resultado —aseguró Pye—. Imagina al yo con quien querrías hablar, Richard; haz de cuenta que le preguntas cuanto necesitas saber. Haz de cuenta que escuchas la respuesta. Prueba.

De pronto me sentí nervioso.

—¿Yo? ¿Ahora?

—¿Por qué no?

—¿Cierro los ojos?

—Si así lo prefieres...

—Sin ritos, supongo.

—Si el rito te hace sentir más cómodo —aceptó ella—, aspira hondo e imagina que una puerta se abre hacia una habitación llena de luz multicolor; ves a esa persona moviéndose a la luz, o en una bruma. O puedes olvidarte de las luces y la bruma para fingir sólo que oyes una voz; a veces somos mejores para percibir sonidos que para visualizar. También puedes olvidarte de la luz y el sonido y limitarte a pensar que el conocimiento de esa persona fluye hacia el tuyo. Y también olvidarte de la intuición e imaginar que la próxima persona a quien encuentres te dará la respuesta si preguntas... y preguntar. O pronunciar una palabra que para ti sea mágica. Como gustes.

Elegí la imaginación y una palabra. Con los ojos cerrados, imaginé que, cuando hablara, encontraría frente a mí a un yo alternativo que me dijera lo que necesitaba saber.

Me relajé. Visualicé colores suaves, flotantes tonos pastel. Cuando diga la palabra veré a esta persona, pensé. No hay prisa.

Los colores se movieron a la deriva, nubes detrás de mis ojos.

—Uno —dije.

En un destello de obturador vi: el hombre estaba de pie junto al ala de un viejo biplano, posado en el heno; detrás de él, cielo azul y un fulgor de sol. Aunque no le veía la cara, la escena tenía la serenidad del verano en Iowa; oí su voz como si estuviera sentado con nosotros en la playa.

—Antes de que pase mucho tiempo, necesitarás todos tus conocimientos para poder rechazar las apariencias —dijo—. Recuerda que, para pasar de un mundo al siguiente en tu hidroavión interdimensional, necesitas el poder de Leslie y ella necesita tus alas. Juntos, voláis.

El obturador volvió a cerrarse, haciéndome abrir los ojos en un respingo.

—¿Algo? —preguntó Leslie.

—¡Sí! —respondí—. Pero no estoy muy seguro de cómo darle uso. —Le conté lo que había visto y oído.— No comprendo.

—Comprenderás cuando haga falta —aseguró Pye—. Cuando se encuentra el conocimiento antes que la experiencia, no siempre tiene sentido.

Leslie sonrió.

—No todo lo que aprendemos aquí es práctico.

Pye volvió a trazar en la arena el número 8, pensativa.

—Nada es práctico hasta que lo comprendemos —dijo—. Hay algunos aspectos de vosotros que os adorarían como a Dios porque piloteáis un Martín Avemarina. Otros de los que podríais conocer os parecerían mágicos en sí.

—Como tú —observé.

—Como ocurre con cualquier mago —replicó ella—, parezco mágica porque no sabéis cuánto he practicado. Soy un punto de la conciencia que se expresa a sí misma en el diseño, al igual que vosotros. Como vosotros, nunca nací y no puedo morir jamás. Recordad que hasta el separar el *yo* del *vosotros* implica una diferencia que no existe.

Así como eres uno con la persona que eras hace un segundo, hace una semana —continuó Pye—, así como eres uno con la persona que serás dentro de un momento o de una semana, así también eres uno con la persona que eras hace una vida entera, la que eres en una vida alternativa, la que serás cien vidas hacia adelante en lo que llamas futuro.

Se sacudió la arena de las manos y se puso de pie.

—Debo irme —dijo—. No olvidéis los artistas y el amanecer. Pase lo que pase, cualesquiera sean las apariencias, la única realidad es el amor.

Se inclinó hacia Leslie y le dio un abrazo de despedida.

—¡Oh, Pye! —dijo mi esposa—. ¡No nos gusta que te marches!

—¿Irme? ¡Puedo desaparecer, pequeños, pero jamás dejaros! ¿Cuántos de nosotros hay, después de todo?

—Uno, querida Pye —dije, abrazándola a manera de despedida.

Ella se echó a reír.

–¿Por qué os amo? –preguntó–. Porque os acordáis.

Y desapareció.

Leslie y yo pasamos un largo rato sentados en la playa, cerca del dibujo que Pye había hecho en la arena, siguiendo con el dedo el 8 dibujado por ella, amando sus pequeñas ciudades, sus bosques y el relato que nos había hecho.

Por fin caminamos hasta Gruñón, abrazados. Recogí el cable del ancla, ayudé a Leslie a ingresar a la cabina, empujé el hidroavión para alejarlo de la playa y trepé a bordo. El Martín se alineó lentamente con la brisa. Puse en marcha el motor.

–¿Qué vendrá ahora? –me pregunté.

–Es extraño –dijo Leslie–. Cuando acuatizamos aquí y pensé que habíamos salido del esquema me entristecí de que todo terminara. Ahora siento que... Al ver otra vez a Pye, algo ha quedado completo para mí. ¡Hemos aprendido tanto, en tan poco tiempo! Me gustaría volver a casa para pensarlo, para aclarar significados.

–¡También a mí! –aseguré.

Nos miramos por un largo instante y nos pusimos de acuerdo sin decir una palabra.

–Bien –dije–, a casa iremos. Ahora debemos aprender cómo.

Alargué la mano hacia el acelerador y lo empujé hacia adelante. No hubo imaginación ni esfuerzo por ver. El motor de Gruñón rugió, impulsando al hidroavión hacia adelante. ¿Por qué me cuesta tanto este simple acto cuando no puedo ver el acelerador?, pensé.

En el momento en que Gruñón despegó del agua, el lago de montaña desapareció y nos vimos otra vez en el aire, por sobre todos los mundos posibles.

15

El diseño se extendía allá abajo, misterioso como siempre, sin flechas que señalaran nada, sin indicaciones, sin carteles.

–¿Alguna idea? ¿Por dónde comenzamos? –pregunté.

–¿Seguimos la intuición, como siempre? –sugirió Leslie.

–La intuición es demasiado amplia; está demasiado llena de sorpresas –dije–. Nosotros no buscábamos a Tink, a Mashara... ni a Atila. ¿Podrá la intuición llevarnos al lugar exacto del esquema en que estábamos cuando desapareció Los Angeles?

Era como uno de esos perversos tests de inteligencia: cuando se conoce la respuesta parecen fáciles, pero para cuando la descubrimos ya nos hemos vuelto locos.

Leslie me tocó el brazo.

–Cuando aterrizamos por primera vez en el esquema, Richard –dijo–, no encontramos a Atila, a Tink ni a Mashara. Al principio pudimos reconocernos:

en Carmel, donde nos conocimos, éramos tú y yo jóvenes. Pero cuanto más volábamos...

–¡Correcto! Cuanto más volábamos, más cambiábamos. ¿Propones que volvamos hacia atrás para ver si encontramos algo conocido? ¡Por supuesto!

Ella asintió.

–Podríamos intentarlo. ¿Hacia adónde es atrás?

Miramos en todas direcciones. Había un diseño brillante por todas partes, pero ni sol ni detalles geográficos: nada que nos sirviera de pista.

Ascendimos en espiral, observando el esquema en busca de cualquier señal que nos indicara un sitio donde hubiéramos descendido anteriormente. Por fin, muy abajo y a nuestra izquierda, me pareció ver el borde del rosado intenso y dorado donde habíamos encontrado a Pye.

–Mira, Leslie... –Incliné el ala de Gruñón para que ella pudiera ver.– ¿No te parece...

–Rosado. Rizo. ¡Rosado intenso y oro! –exclamó ella.

Nos miramos mutuamente, con cautelosa esperanza, y ascendimos un poco más, siempre en espiral.

–Sí, es eso –dijo Leslie–. Y más allá... más allá del rosado, ¿no hay verde? ¿Como donde encontramos a Mashara?

Nos inclinamos pronunciadamente a la izquierda, dirigiéndonos hacia los primeros panoramas familiares que veíamos en el diseño.

El hidroavión zumbaba sobre la matriz de las vidas, diminuta mota en ese vasto cielo; dejó atrás los verdes y los dorados de Mashara, los corales que escondían aquella dolorosa noche de Moscú, la oscuridad borravino de Atila. Era como si lleváramos horas volando desde el despegue.

–Cuando desapareció Los Angeles, el agua era azul con senderos de oro y plata, ¿recuerdas? –dijo Leslie, señalando el horizonte lejano–. ¿No es aquello? *¡Sí!* −exclamó, con los ojos chisporroteando de alivio−. No es tan difícil. ¿Es tan difícil?

Sí que lo es, pensé.

Cuando cruzamos el borde de los azules y dorados, esos colores se extendieron ante nosotros hasta el límite de la vista. En algún sitio, allí, existía una pequeña porción de agua donde necesitábamos descender: el portal de nuestro propio tiempo. ¿Dónde?

Seguimos volando, girando hacia aquí y hacia allá, alertas a la aparición de los dos caminos brillantes que nos habían llevado a nuestro primer encuentro, en Carmel. Había allá abajo millones de senderos, millones de paralelas e intersecciones.

−Oh, Richie −dijo mi esposa, por fin, con voz tan apagada como había sido brillante un rato atrás−, ¡no podremos hallarlo!

−Claro que sí −le aseguré. Pero mi yo interior temía que ella estuviera en lo cierto.− ¿Será hora de probar otra vez con la intuición? No tenemos mucho que elegir. Aquí todo parece igual.

−Bueno −dijo−. ¿Tú o yo?

−Tú −respondí.

Se relajó en el asiento, con los ojos cerrados, y guardamos silencio por algunos segundos.

−Gira a la izquierda. −¿Percibiría el dolor de su propia voz?− Desciende girando a la izquierda...

La taberna estaba casi desierta. Había un hombre solo en un extremo del mostrador y una pareja de pelo blanco en una cabina, al costado.

¿Qué hacemos en un *bar*?, me extrañé. Los de-

testo desde siempre. Cruzo las calles para evitar-
los.

—Salgamos de aquí.

Leslie me puso una mano en el brazo y me impi-
dió partir.

—Muchos lugares nos parecieron errores cuando
descendimos —recordó—. ¿Puedes decir que Tink haya
sido un error? ¿O lo ocurrido en el lago Healey? Tarde
o temprano le encontraremos sentido.

Caminó hacia el bar y se volvió a mirar a la
pareja de ancianos sentados en la cabina. Sus ojos se
ensancharon.

Fui a reunirme con ella.

—¡Asombroso! —susurré—. Somos nosotros, sí,
pero...

Meneé la cabeza.

Pero *cambiados*. La cara de la mujer estaba tan
arrugada como la de él; su boca era igualmente dura.
El hombre estaba demacrado y ceniciento. No parecía
viejo, sino derrotado. En la mesa había dos botellas de
cerveza, hamburguesas y patatas fritas en los platos.
Entre ambos, con la cubierta hacia abajo, una edición
barata de nuestro último libro. Ambos estaban enfras-
cados en su conversación.

—¿Qué te parece? —preguntó Leslie, también en
susurros.

—¿Nosotros alternativos, en nuestro propio
tiempo, leyendo nuestro libro en un bar?

—¿Por qué no nos ven? —preguntó ella.

—Probablemente están ebrios —dije—. Vámonos.

Ella no prestó atención.

—Deberíamos hablar con ellos, pero detesto la
idea de intervenir. Parecen tan sombríos... Sentémonos
en la cabina contigua por un minuto. Así podremos
escuchar.

—¿Escuchar? ¿Quieres escuchar subrepticiamente conversaciones ajenas, Leslie?

—¿No? Bueno, intervén tú. Yo me reuniré con

vosotros en cuanto compruebe que no les molesta tener compañía.

Estudié a la pareja.

–Quizá tengas razón –reconocí.

Nos deslizamos en la cabina contigua, en el asiento más alejado, para poder observar sus rostros.

El hombre tosió y dio una palmadita al libro que estaba frente a su esposa.

–¡Yo podría haber hecho esto! –dijo, entre mordiscos a su hamburguesa–. ¡Podría haber hecho todo lo que dice este libro!

Ella suspiró.

–Tal vez sí, Dave.

–¡Pero te digo que sí! –El hombre volvió a toser.– Mira, Lorraine: ese tipo pilotea un biplano antiguo. ¿Y qué? Yo empecé a volar como sabes. Llegué casi a volar solo. ¿Qué tiene de difícil pilotear un avión viejo?

Yo no escribí que fuera difícil, pensé. Escribí que, mientras trabajaba como piloto ambulante, me di cuenta de que mi vida estaba estancada.

–El libro habla de otras cosas, además de aviones viejos –observó ella.

–Bueno, pero es muy mentiroso, el tipo. Nadie se gana la vida de ese modo, llevando pasajeros de paseo y aterrizando en henares. Eso es un invento. Y esa esposa fantástica también ha de ser un invento. Eso es todo mentira, ¿no te das cuenta?

¿Por qué era tan cínico? Si yo hubiera leído un libro escrito por un yo alternativo, ¿no me habría visto en las páginas? Y si él es un aspecto de quien soy ahora, pensé, ¿por qué no tenemos los mismos valores? ¿Qué hace en un bar, bebiendo *cerveza,* por el amor de Dios, y comiendo el cadáver picado y quemado de una pobre vaca?

Aquel día era un alma desdichada, y al parecer no había sido otra cosa en mucho tiempo. Su cara era la que yo veía en el espejo todos los días, pero con arrugas tan marcadas, tan profundas, que era como si hubiera estado tratando de cruzársela con un cuchillo. Había algo patético en él, cierta tensión en el aire; sentí deseos de alejarme, de salir de allí.

Leslie vio mi aflicción y me tomó la mano, pidiéndome paciencia.

—Y si los dos son un invento, Davey, ¿qué importa? —preguntó la mujer—. Es sólo un libro. ¿Por qué te enojas tanto?

El terminó la hamburguesa y tomó una patata frita del plato de su esposa.

—Sólo te digo que me fastidiaste a muerte para que lo leyera, y lo leí. Lo leí y no tiene nada extraordinario, caramba. Yo habría podido hacer todo lo que este tipo hizo. No sé por qué te parece tan... Lo que te parezca.

—A mí no me parece nada. Me parece que es como acabas de decir: que los de ese libro podríamos haber sido nosotros.

Como él la mirara, sobresaltado, ella levantó la mano en ademán de déjame-hablar.

—Si hubieras seguido piloteando, ¿quién sabe? Y también escribías, ¿recuerdas? Trabajabas en el *Courier* y escribías cuentos por las noches. Igual que él.

—¡Uf! —protestó el hombre—. Cuentos por las noches. ¿Y qué gané con ellos? Notas de rechazo. Una caja llena de billetitos impresos con notas de rechazo; ni siquiera cartas enteras. ¿Para qué?

La voz de la mujer era casi dulce.

—Quizá abandonaste demasiado pronto.

—Quizá. ¡Te digo que yo perfectamente hubiera podido escribir esa tontería de la gaviota! Cuando era niño solía ir al muelle, a ver cómo volaban los pájaros. Quería tener alas como ellos.

Lo sé, me dije. Te acurrucabas entre las rocas grandes, donde no se te viera, y las gaviotas pasaban tan cerca que hasta podías oír el viento en sus alas, espadas plumíferas que pasaban veloces. De pronto, un giro y un destello y se iban con el viento, como murciélagos, libres en el cielo. Y tú quedabas allí, anclado a la roca sólida.

De pronto me invadió la compasión por ese hombre. Me escocían los ojos al contemplar aquella cara gastada.

—Yo podría haber escrito ese libro, palabra por palabra. —Volvió a toser.— Hoy en día sería rico.

—Sí —coincidió ella.

Terminó su hamburguesa en silencio. El pidió otra cerveza, encendió un cigarrillo y desapareció por un rato en humo azul.

—¿Por qué dejaste de volar, Dave, si tanto te gustaba?

—¿Nunca te lo dije? Simple. Tenías que pagar una fortuna para aprender; eran como veinte dólares la hora, en los tiempos en que con veinte dólares a la semana se podía vivir. Si no, tenías que trabajar como un esclavo lustrando los aviones y atendiendo la bomba de combustible de la mañana a la noche. Todo para hacer un solo vuelo. ¡Yo nunca he sido un esclavo de nadie!

Ella no respondió.

—¿Tú harías algo así? —preguntó el hombre—. Volver a casa apestando a cera y gasolina, todas las noches de tu vida, sólo por una hora de vuelo a la semana. A ese paso me habría llevado todo un año conseguir mi licencia. —Exhaló un largo suspiro.— "Muchacho, limpia ese aceite." "Muchacho, barre el hangar." "Muchacho, saca la basura." ¡No, eso no es para mí!

Chupó el cigarrillo como si fuera el recuerdo mismo lo que ardía en la punta.

—El ejército no era mucho mejor —dijo, en su nube—, pero al menos pagaba en efectivo. —Miró sin ver al otro lado de la habitación, perdida la mente en otro tiempo. – Salíamos de maniobras y, a veces, los aviones de combate pasaban por sobre nosotros como lanzas, ¿sabes? Bajaban y volvían a ascender en seguida, hasta perderse de vista. Y yo lamentaba no haberme enrolado en la Fuerza Aérea, así habría sido piloto de combate.

No, pensé. Lo del ejército fue una buena elección, Dave. Al menos en el ejército se suele matar a una persona por vez.

Volvió a exhalar el humo y tosió.

–No sé. A lo mejor tienes razón con respecto al libro. Ese podría haber sido yo. Y ella podrías haber sido tú, eso sí. Bonita como eras, podrías haber sido actriz de cine. – Se encogió de hombros. – En ese libro pasan por malos momentos. Es culpa de él, por supuesto. –Hizo una pausa y aspiró otra bocanada de humo, con cara triste. – No les envidio esa parte, pero sí, un poco, los resultados que obtuvieron.

–No te me pongas melancólico –pidió ella–. ¡Yo me alegro de que no seamos ellos! En su vida tienen algunas cosas gratas, pero todo pende de un hilo. Es demasiado extraño para mí. Si estuviera en el lugar de ella, no podría dormir. Tú y yo hemos vivido bien; tuvimos buenos empleos, nunca nos quedamos sin trabajo ni fuimos a la quiebra y eso nunca nos pasará. Tenemos una casa confortable y algún dinero ahorrado. No seremos la gente más loca del mundo, no seremos los más felices, pero te amo, Dave...

El le palmoteó la mano, muy sonriente.

–Yo te amo más que tú a mí.

–¡Oh, David! –protestó ella, meneando la cabeza.

Guardaron silencio por largo rato. ¡Cuánto habían cambiado, para mí, en esos pocos minutos pasados cerca de su mesa! Lamentaba que Dave hubiera aprendido a fumar, pero el hombre me caía bien. De la aversión había pasado a la simpatía por ese aspecto de mí que nunca conociera. *El odio es el amor sin los datos necesarios,* había dicho Pye. Cuando alguien nos desagrada, ¿existen datos que, si los supiéramos, nos harían cambiar de opinión?

–¿Sabes qué voy a regalarte para nuestro aniversario? –preguntó ella.

–¿Conque regalos de aniversario, ahora? –se extrañó él.

–¡Lecciones de vuelo! –dijo la mujer.

El la miró como si la creyera loca.

–Todavía puedes, Davey. Sé que puedes.

Por un momento reinó el silencio.

–Maldición –protestó el hombre–. No es justo.

–Nada es justo –dijo su esposa–, pero ya sabes... A veces te dicen seis meses y después se va ¡y uno vive años enteros!

–Fue tan rápido, Lorraine... Ayer me enrolé en el ejército. ¡Y fue hace treinta años! ¿Por qué nadie te dice que todo pasa tan rápido?

–Te lo dicen –murmuró ella.

El suspiró.

–¿Y por qué no prestamos atención?

–¿Habríamos cambiado algo?

–Ahora sí –aseguró él–. Si tuviera que vivir otra vez, sabiendo...

–¿Qué dirías ahora a nuestros hijos, si los tuviéramos? –preguntó la mujer.

–Les diría que piensen siempre: *¿De veras quiero hacer esto?* ¡No importa lo que se haga, sino que uno lo haga porque quiere!

Ella lo miró, sorprendida. Sin duda no suele hablar de ese modo, adiviné.

–Les diría que no es divertido –continuó el hombre–, cuando te quedan seis meses de vida, preguntarte qué pasó con lo mejor que pudiste haber sido, qué pasó con lo que importaba. –Tosió, con el ceño fruncido, y apagó el cigarrillo en el cenicero.– Les diría que nadie quiere dejarse llevar por la... mediocridad, pero así ocurre, muchachos; ocurre, a menos que uno piense en todo lo que quiere hacer, a menos que uno decida siempre lo mejor que pueda.

—Deberías haberte dedicado a escribir, Davey.

El hizo un gesto negativo con la mano.

—Es como si, al final, te encontraras con un examen sorpresivo: ¿Estoy orgulloso de mí mismo? ¡Entregué *mi vida* para convertirme en la persona que soy ahora! ¿Valía el precio que pagué?

De pronto se lo oía terriblemente cansado.

Lorraine sacó un pañuelo de papel de su bolso, apoyó la cabeza en el hombro de Dave y se enjugó las lágrimas. El marido la abrazó, le dio palmaditas, se enjugó también los ojos y ambos guardaron silencio, sin contar aquella tos empecinada.

Tal vez fuera demasiado tarde para dar el mensaje a sus hijos, pensé, pero lo había dado a alguien. Lo había dado a su esposa y a nosotros, que estábamos a una mesa y un universo de distancia. Oh, Dave...

¿Cuántas veces había imaginado a ese hombre, cuántas veces había probado ciertas decisiones con él? Si me negara a esta prueba, si optara por lo más seguro, ¿cómo me sentiré cuando mire hacia atrás? Algunas elecciones eran fáciles noes: no, no quiero asaltar bancos; no, no quiero ser drogadicto; no, no quiero arriesgar la vida por una emoción barata. Pero la decisión de seguir cualquier aventura verdadera se medía por el punto de vista de sus ojos: cuando recuerdo esto, ¿me alegraré de haber tenido coraje o me alegraré de no haberlo tenido? Y allí lo tenía, en persona, explicándolo.

—¡Pobrecitos! —dijo Leslie, con suavidad—. ¿Somos nosotros, Richie, lamentándonos de no haber vivido de otro modo?

——Trabajamos demasiado —murmuré, a mi vez—. Es una gran suerte estar juntos. Me gustaría que tuviéramos más tiempo para disfrutarlo, para gozar tranquilamente de la mutua compañía.

–¡También a mí! Mira, podemos tomarnos las cosas con más calma, wookie –dijo Leslie–. No hace falta que asistamos a tantas conferencias, que filmemos películas, que iniciemos diez proyectos al mismo tiempo. Creo que ni siquiera es necesario luchar contra la Dirección Impositiva. Quizás deberíamos haber abandonado el país, ir a Nueva Zelandia y pasar el resto de nuestra vida de vacaciones, como tú querías.

–Me alegro de que no lo hayamos hecho así –dije–. Me alegro de que nos hayamos quedado. –La miré, la amé por los años que habíamos pasado juntos. Por muy trabajosos que hubieran sido, también me habían dado el mayor goce de mi vida.

Tiempos difíciles, tiempos felices dijo ella, con los ojos, yo tampoco los cambiaría por nada.

–Cuando volvamos a casa tomaremos unas largas vacaciones –propuse, recorrido interiormente por una nueva comprensión, una nueva perspectiva brindada por esa pareja ya desvaída.

Ella asintió.

–Replantearemos la vida.

–¿Sabes qué estoy pensando, Davey, tesoro? –dijo Lorraine, componiéndoselas para sonreír.

El carraspeó y le devolvió la sonrisa.

–Nunca sé en qué estás pensando.

–Creo que deberíamos tomar una servilleta, así –metió la mano en su bolso–, y un lápiz, y hacer una lista de lo que más deseamos, para que estos seis meses sean... los mejores de nuestra vida. ¿Qué haríamos si no existieran los médicos, con todos sus esto-sí y esto-no? Si reconocen que no pueden curarte, ¿qué derecho tienen a decirnos qué debemos hacer con el tiempo que nos queda para vivir juntos? Creo que deberíamos hacer esta lista y ¡adelante! vivir como deseamos.

–Eres una locuela –dijo él.

Lorraine escribió en la servilleta:

–Lecciones de vuelo, por fin.

—Oh, vamos —protestó Dave.

—Tú mismo dijiste que podías hacer lo que hizo ese tipo —recordó ella, tocando el libro—. Vamos, dime, sólo para entretenernos: ¿qué más?

—Bueno, siempre he querido viajar. Si vamos a soñar, me gustaría ir a Europa.

—¿A qué lugar de Europa? ¿Algún país en especial?

—A Italia —dijo él, como si lo hubiera soñado toda su vida.

Ella arqueó las cejas y lo anotó.

—Y antes del viaje me gustaría estudiar un poco de italiano, para que podamos hablar con la gente de allá.

Ella levantó la vista, asombrada; el lápiz quedó varado en el aire por un momento.

—Conseguiremos algunos libros de italiano —dijo al fin, escribiendo—. Sé que también hay *cassettes*. —Lo miró otra vez.— ¿Qué más? La lista debe incluir *cualquier cosa que desees.*

—Oh, no tenemos tiempo —le recordó él—. Deberíamos haberlo hecho...

—¡Nada de "deberíamos esto" ni "deberíamos aquello". No tiene sentido desear un pasado que ya no podemos solucionar. ¿Por qué no desear las cosas que aún podemos hacer?

El quedó pensativo. Su mirada melancólica desapareció, como si ella le hubiera infundido vida nueva.

—¡Tienes razón, qué diablos! —exclamó—. ¡Ya es hora! Anota esquí acuático.

—¿Esquí acuático? —repitió ella, con los ojos dilatados.

—¿Qué va a decir el doctor? —preguntó él, con una sonrisa demoníaca.

—Dirá que no es saludable —rió la mujer, mientras lo anotaba—. ¿Qué más?

Leslie y yo sonreímos.

—Tal vez no nos hayan dicho cómo volver a casa

—le dije—, pero sí nos han dicho qué hacer cuando volvamos.

Leslie asintió. Empujó el acelerador invisible y el bar se perdió a los tumbos.

16

Ya en el aire otra vez, buscamos cualquier pista que el diseño pudiera ofrecernos, cualquier señal de un camino para volver a casa. Los senderos, por supuesto, iban en todas direcciones al mismo tiempo.

—Digo yo —murmuró Leslie—: ¿vamos a pasarnos la vida asomando la cabeza en vidas ajenas mientras buscamos la propia?

—No, queridita, está aquí no más —mentí—. ¡Tiene que estar! Sólo hay que ser pacientes hasta descubrir la clave, cualquiera sea.

Ella me miró.

—Te sientes mucho más despejado que yo, en estos momentos. ¿Por qué no eliges un sitio para probar?

—¿Por intuición, una vez más?

En cuanto cerré los ojos comprendí que ya estaba.

—¡Recto hacia adelante! Prepárate para aterrizar.

Estaba solo, tendido en la cama de una habitación de hotel. Mi gemelo, mi gemelo exacto, incorporado sobre un codo, con la vista perdida por la ventana. No era yo, pero se me parecía tanto que tuve la seguridad de no estar lejos de casa.

Las puertas de vidrio enmarcaban un balcón que daba a un campo de golf; atrás, altos árboles de follaje perenne. Nubes bajas. El castigo parejo de la lluvia sobre el techo. Si no empezaba a atardecer, las nubes eran tan densas y oscuras que el mediodía se había convertido en crepúsculo.

Leslie y yo estábamos de pie en un balcón igual, al otro lado del cuarto, mirando hacia adentro.

—Tengo la sensación de que tiene una depresión espantosa. ¿Y tú? —me susurró ella.

Asentí:

—Es extraño que se esté allí, tendido, sin hacer nada. ¿Dónde está Leslie?

Ella meneó la cabeza; lo observaba, preocupada.

—Me siento incómoda en esta situación —dijo—. Creo que deberías hablar a solas con él.

El hombre permanecía inmóvil, pero no dormía.

—Ve, tesoro —me instó Leslie—. Creo que te necesita.

El mantenía la vista clavada en lo gris; apenas movió la cabeza cuando aparecí. En el cubrecama, a su lado, había una computadora portátil, con la luz de funcionamiento encendida; la pantalla permanecía tan en blanco como la cara de su dueño.

—Hola, Richard —saludé—. No te asustes. Soy...

—Ya sé —suspiró—: la proyección de una mente perturbada.

Y volvió los ojos a la lluvia. Pensé en un árbol derribado por el rayo, incapaz de moverse.

—¿Qué pasó? —pregunté.

No hubo respuesta.

—¿Por qué estás tan deprimido?

—No resultó —dijo, al fin—. No sé que pasó.
—Otra pausa.— Me ha abandonado.

—*¿Leslie? ¿Que Leslie te abandonó?*

La silueta tendida en la cama hizo un impercep-
tible gesto de asentimiento.

—Dijo que, si yo no abandonaba la casa, se iría
ella, porque ya no me soportaba más. Quizá sea yo el
que huyó, pero es ella quien dio por terminado el matrimonio.

Imposible, pensé. ¿Qué podía haber inducido a
una Leslie alternativa a decirle que no lo soportaba
más? Mi Leslie y yo habíamos pasado juntos muchos
períodos terribles: años de lucha, después de mi
quiebra; a veces estábamos tan exhaustos que apenas
podíamos continuar, tan presionados que perdíamos la
perspectiva y la paciencia; otras veces reñimos. Pero
nunca fue tan grave, nunca nos separamos, nunca ninguno de los dos dijo: "Si no te vas tú, me voy yo." ¿Qué
podía haberles pasado, tanto peor que lo soportado
por nosotros?

—No me dirige la palabra. —La voz era tan nerviosa como el cuerpo.— En cuanto trato de analizar las
cosas con ella, se marcha.

—¿Qué hiciste? —inquirí—. ¿Te dedicaste a la
bebida, a las drogas? ¿Te...?

—No seas idiota —protestó, irritado—. ¡Yo soy yo!
—Cerró los ojos.— Sal de aquí. Déjame en paz.

—Lo siento —dije—. He sido torpe. Pero no logro
imaginar qué puede haber provocado una ruptura
entre vosotros dos. ¡Debió de ser algo monumental!

—¡No! —aseguró él—. Pequeñeces, ¡fueron todas
pequeñeces! Por una parte, esa montaña de trabajo:
impuestos, contabilidad, películas, libros, mil solicitudes y ofrecimientos de todo el mundo. Hay que hacerlo
y hacerlo *bien,* según ella. Así que pone manos a la
obra como si estuviera loca; no descansa nunca. Hace
años me prometió que mi vida no volvería a ser el
desastre que era antes de conocerla. Y lo dijo en serio.

Siguió divagando, divagando, feliz de poder hablar siquiera con una proyección de su mente.

—A mí no me interesan las trivialidades; nunca me interesaron. Ella se encarga de hacerlo todo; maneja tres computadoras con una mano; con la otra, mil formularios, requisitos y fechas límite. Va a cumplir con esa promesa aunque muera en el intento, ¿comprendes?

Dijo esa última frase como si hubiera querido decir: "...aunque *me mate* en el intento." Estaba resentido, amargado.

—No tiene tiempo para mí. No tiene tiempo para nada que no sea el trabajo. Y yo no puedo ayudarla porque tiene un miedo espantoso de que le vuelva a arruinar todo.

"Le recuerdo que éste es un mundo de ilusiones, que no debe tomarlo tan en serio, y decido pilotear el avión por un rato. Es una verdad simple, pero cuando me voy ella me fulmina con la mirada, como si quisiera desintegrarme."

Se tendió en la cama como si fuera el diván de un analista.

—Ha cambiado. La tensión nerviosa la ha cambiado. Ya no es encantadora, divertida ni bella. Es como si estuviera encaramada a una topadora para arrasar un lote y tuviera que mover tal cantidad de papel antes del 15 de abril, del 30 de diciembre, del 26 de septiembre, y fuera a quedar sepultada en la montaña si deja de moverse. Cuando le pregunto qué ha sido de nuestra vida, me grita que si yo me hiciera cargo de una parte del trabajo quizá lo comprendería.

Si yo no hubiera estado seguro de que ese hombre era yo, habría dicho que deliraba.

Sin embargo, yo mismo había estado a punto de tomar ese camino una vez, de volverme tan loco como él lo parecía. Es muy fácil perderse en un tifón de detalles, postergar las cosas más importantes de la vida porque se está seguro de que nada puede amenazar a un amor tan bello. Y descubrir un día que la vida, en sí, se ha convertido en un detalle, que en el proceso nos hemos convertido en desconocidos para quien más amamos.

—Yo he pasado por lo mismo —dije, forzando un poco la verdad—. ¿Te molestaría que te hiciera una sola pregunta?

—Anda, pregunta —dijo—. Nada puede molestarme. Esto es el fin de nuestra pareja. No fue culpa mía. ¡Las pequeñeces pueden ser fatales, sí, pero aquí se trata de *nosotros*! ¡Almas gemelas! ¿Te das cuenta? Si vuelvo a mis viejas costumbres, si por algunos días no soy muy pulcro, ella se queja de que le estoy dando más trabajo cuando ya está medio ahogándose. Redacta listas de pequeñas cosas que debo hacer y yo las postergo por un tiempo; olvido algo tan tonto como cambiar una bombilla. Y ella me acusa de obligarla a cargar con toda la responsabilidad. ¿Te das cuenta de lo que quiero decir?

"Es cierto que yo debería ayudar, pero ¡constantemente! Y aun si no lo hago, ¿te parece motivo suficiente para romper un matrimonio? No, no creo. Pero guijarro a guijarro, todo se amontona y de pronto el puente mismo se viene abajo. Le dije que reaccionara, que mirara el lado luminoso de la vida, pero ¡noooo! Nuestro matrimonio, que antes era amor y respeto, se ha convertido en tensiones, trabajo sin fin y enfado. ¡Ella no se da cuenta de qué es lo más importante! Está..."

—Oye, hombre, explícame algo —intervine.

El dejó de quejarse y me miró, sorprendido de encontrarme todavía allí.

—¿Por qué debe pensar ella que tú vales la pena? —pregunté—. ¿Qué hay en ti de maravilloso para que ella deba estar enamorada?

Frunció el ceño y abrió la boca, pero no pudo pronunciar una palabra. Como si yo fuera un brujo que le había robado el habla. Después apartó la vista, desconcertado, hacia la lluvia.

—¿Cómo era la pregunta? —preguntó al cabo.

La repetí, con paciencia:

—¿Qué hay en ti que tu esposa deba amar?

Lo pensó otra vez. Por fin, con un encogimiento de hombros, se dio por vencido.

—No lo sé.

—¿Te muestras cariñoso con ella? —pregunté.

Sacudió apenas la cabeza.

—Ya no —reconoció—, pero es difícil, considerando que...

—¿Eres comprensivo, le prestas apoyo?

—¿Francamente? —Pensó un poco más.— En realidad, no.

—¿Eres sensible, receptivo para con ella? ¿Compasivo, abnegado?

—No puedo decir que sí. —Estaba ceñudo.— No.

Analizaba todas mis preguntas. Me pregunté si necesitaba reunir coraje para responder o si el esclarecimiento lo estaba llevando a la simple verdad.

—¿Eres comunicativo y buen conversador, entretenido, interesante, entusiasta, inspirador, lleno de revelaciones?

Se incorporó por primera vez para mirarme fijo.

—A veces. Bueno, muy pocas. —Una larga pausa.— No.

—¿Eres romántico? ¿Considerado? ¿La agasajas con dulces pequeñeces?

—No.

—¿Eres buen cocinero? ¿Ordenado y limpio en la casa?

—No.

—¿Eres digno de confianza? ¿Sabes resolver problemas? ¿La alivias de sus tensiones?

—En verdad, no.

—¿Comerciante astuto?

—No.

– ¿Eres su amigo?

Esa pregunta lo obligó a pensar por más tiempo.

– No, no lo soy – dijo, por fin.

– Si hubieras mostrado todos esos defectos en tu primera cita con ella, ¿crees que ella habría aceptado una segunda cita?

– No.

– En ese caso, ¿por qué no te ha dejado hasta ahora? – pregunté –. ¿Por qué ha seguido a tu lado?

Levantó la vista, dolorido.

– ¿Porque está *casada conmigo*?

– Probablemente.

Ambos guardamos silencio, pensándolo.

– ¿Te parece que podrías cambiar? – le pregunté –. ¿Convertir todos esos noes en síes?

Me miró otra vez, ojeroso por sus respuestas.

– Es posible, por supuesto. Antes yo era su mejor amigo, era...

Hizo una pausa, tratando de recordar qué había sido.

– ¿Te haría mal recobrar esas cosas, esas cualidades? – le pregunté aún –. ¿Te sentirías... *disminuido* de algún modo por practicarlas?

– No.

– ¿Qué puedes perder si lo intentas?

– Nada, supongo.

– ¿Crees que podrías ganar algo, en cambio?

– ¡Ganaría muchísimo! – dijo, al fin, como si la idea acabara de ocurrírsele, flamante –. Creo que ella podría volver a amarme. Y en ese caso los dos seríamos felices. – Volvió a recordar. – Cada momento de los que pasamos juntos era una gloria. Era romántico. Explorábamos ideas, descubríamos verdades esclarecidas... Siempre era estimulante. Si tuviéramos tiempo volveríamos a ser así.

Hizo una pausa y pronunció su verdad más genuina:

– En realidad, podría ayudarla un poco más. Pero

me he acostumbrado a que ella lo haga todo; es más fácil dejar que lo haga ella. Pero si la ayudara, si cumpliera con mi parte, creo que recobraría mi autorrespeto.

Se levantó para mirarse en el espejo; sacudió la cabeza y comenzó a pasearse por la habitación. La transformación era notable. Me pregunté si en verdad habría comprendido así, con tanta facilidad.

—¿Cómo no me di cuenta solo? —se extrañó, mirándome de soslayo—. Bueno, en realidad creo que así fue.

—Necesitaste años para descender adonde estás —dije, voz de la cautela—. ¿Cuántos necesitarás para ascender otra vez?

La pregunta lo sorprendió.

—Ninguno —aseguró—. ¡He cambiado! ¡No veo la hora de intentarlo!

—¿Así, tan de pronto?

—Una vez que comprendes el problema no hace falta tiempo para cambiar —dijo, con la cara encendida por el entusiasmo—. Si alguien te entrega una serpiente de cascabel, no necesitas mucho tiempo para dejarla caer, ¿verdad? ¿Debo seguir sosteniendo esta serpiente sólo porque se trata de mí mismo? ¡No, gracias!

—Mucha gente diría que sí.

Se sentó en la silla, junto a la ventana, para mirarla.

—Yo no soy mucha gente —replicó—. Llevo dos días tendido aquí, pensando que esas dos almas amantes, Leslie y yo, habían escapado a un futuro diferente, donde estaban felices y juntos, y nos habían dejado en esta dimensión miserable, donde ni siquiera podemos dialogar.

"Estaba tan seguro de que la culpa era de ella que no encontraba salida, porque para mejorar las cosas era *ella* quien debía cambiar. Pero ahora... ¡si es culpa mía, yo puedo cambiarlo todo! Si cambio y mantengo ese cambio por un mes, y aun así somos desdichados, entonces hablaremos de cambiar a Leslie!"

Se levantó para pasearse otra vez. Me miraba como si yo fuera un terapeuta brillante.

–¡Mira, todo por un par de preguntas! ¿Por qué hizo falta que te presentaras tú, venido de no sé dónde? ¿Por qué no me hice yo mismo esas preguntas? ¡Hace meses!

–¿Por qué? –pregunté a mi vez.

–No sé. Estaba tan sepultado en mi resentimiento contra ella y todos los problemas... como si ella fuera la causa y no la que trataba de solucionarlos. Y no dejaba de autocompadecerme, recordando lo diferente que había sido la mujer a quien yo tanto amaba.

Se sentó otra vez en la cama y, por un momento, ocultó la cabeza entre las manos.

–¿Sabes en qué estaba pensando cuando entraste? ¿Cuál es el último acto de un hombre desesperado...?

Caminó hasta el balcón y contempló el panorama como si no hubiera lluvia en los vidrios, sino pleno sol.

–La respuesta es: "Cambiar." Si no puedo cambiar mi propia mente, ¡merezco perderla! Pero ahora que comprendo, sé cómo hacerla feliz. Y cuando ella es feliz... –Se interrumpió para dedicarme una gran sonrisa.– ¡Mira, no tienes idea!

–¿Podrás convencerla de que te has reformado? –pregunté–. No todos los días abandonas la casa sin que nada te importe y vuelves convertido en el tipo amante con el que ella se casó.

Después de pensarlo volvió a entristecerse por un momento.

–Tienes razón –reconoció–. Ella no tiene motivos para creerlo. Quizá tarde días en saberlo, o meses... o no lo sepa nunca. Quizá no quiera volver a verme nunca más. –Caviló otro poquito y se volvió hacia mí.– La verdad es que el hecho de cambiar o no, depende de mí. El que ella se dé cuenta y lo que piense al respecto depende de ella.

—Si no te escucha —sugerí—, ¿cómo vas a explicarle lo que ha ocurrido?

—No lo sé —confesó, con suavidad—. Tendré que buscar el modo. Tal vez lo perciba en mi voz.

Se acercó al teléfono y marcó un número.

Era como si yo ya hubiera desaparecido, a tal punto se concentró en su llamada, colmado por un futuro que había estado a punto de perder.

—Hola, tesoro —dijo—. Si quieres cortar, comprendo, pero he descubierto algo que quizá quieras saber.

Escuchó, la mente vuelta ojos clavados en una esposa que estaba a ciento cincuenta kilómetros de distancia.

—No, llamé para decirte que tú *tienes razón* —prosiguió—. El problema está *en mí*. Estaba equivocado. He sido egoísta e injusto para contigo y no sé cómo empezar a decirte cuánto lo lamento. Soy yo quien debe cambiar. ¡Y ya he cambiado!

Escuchó un poco más.

—Queridita, te amo con todo mi corazón. Más aún porque ahora comprendo lo que has soportado para seguir conmigo hasta ahora. ¡Y juro que te alegrarás de haber hecho el esfuerzo!

Volvió a escuchar y sonrió. Una sonrisa mínima.

—Gracias. En ese caso ¿tendrías tiempo... para una única cita con tu marido, antes de no volver a verlo nunca más?

17

Me marché mientras él hablaba. Salí subrepticiamente al balcón, para reunirme con mi Leslie, y la besé con suavidad. Nos abrazamos, felices de estar juntos, felices de ser quienes éramos.

– ¿Seguirán juntos? –pregunté–. ¿Es posible cambiar tanto de un momento a otro?

– Eso espero –dijo Leslie–. Le creo, ¿sabes?, porque no se defendió. ¡Quería cambiar!

– Siempre supuse que las almas gemelas se profesan un amor incondicional, que nada puede separarlas.

– ¿Incondicional? –repitió ella–. Si soy cruel y detestable sin motivo alguno, si te pisoteo, ¿me amarás por siempre jamás? Si te golpeo hasta dejarte inconsciente, desaparezco por días enteros, me acuesto con cuanto hombre encuentre en la calle, pierdo en el juego hasta nuestro último centavo y vuelvo a casa borracha, ¿seguirás amándome aun así?

– Si lo expresas de ese modo, mi amor podría vacilar –reconocí.

Cuanto más se nos amenaza, pensé, menos amamos.

–¡Qué interesante! ¡Amar a alguien incondicionalmente equivale a que *no te importe* quién es ni qué hace! ¡El amor incondicional sale siendo igual a la indiferencia!

Ella asintió.

–Yo también lo creo así.

–En ese caso, ámame condicionalmente, por favor –pedí–. Amame cuando sea lo mejor que puedo ser; enfríate si me vuelvo aburrido y desconsiderado.

Ella se echó a reír.

–De acuerdo. Haz tú lo mismo, por favor.

Echamos otro vistazo al cuarto. Al ver que el otro Richard seguía pegado al teléfono, sonreímos.

–¿Por qué no intentas despegar tú, esta vez? –sugirió Leslie–. Deberías comprobar que puedes hacerlo antes de que volvamos a casa.

La miré; en ese momento de claridad, alargué la mano hacia el acelerador de nuestro hidroavión invisible; lo vi entre mis dedos y empujé hacia adelante.

Nada. No hubo ondulación del hotel, de las montañas ni de los árboles. El mundo que nos rodeaba ni siquiera parpadeó.

–Oh, Richie –dijo ella–. Es fácil. Sólo hay que enfocar.

Antes de que pudiera intentarlo otra vez se produjo ese familiar estremecimiento y el universo se borroneó en el cambio de tiempo. Ella ya había empujado la palanca hacia adelante.

–Déjame intentarlo otra vez –pedí.

–Bueno, tesoro. La llevaré hacia atrás. Recuerda que el truco consiste en *enfocar*...

En ese instante despegamos, libres en el aire, con el mar allá abajo. En el momento en que ella accionaba el acelerador el motor comenzó a recuperarse. Demasiado tarde.

El Martín cabeceó hacia arriba y se inclinó hacia el agua.

Me di cuenta de que el acuatizaje sería duro. Lo que no esperaba era el estruendo, violento como si una bomba estallara en la cabina.

Una fuerza monstruosa cortó mi cinturón de seguridad como si fuera un cordel y me arrojó a través del parabrisas, de bruces en el agua precipitada. Cuando logré salir, tosiendo, allá estaba el Avemarina en posición invertida, a quince metros de distancia, la cola apuntando al cielo y el vapor surgiendo en nubes, puesto que el motor caliente se deslizaba bajo el agua.

¡No!, pensé. *¡No, no, NO!* Me zambullí detrás del avión: nuestro bello Gruñón blanco, lodoso bajo el agua. Me zambullí hasta la cabina destrozada, que se iba hundiendo. Presión en los oídos, quebrada estructura gimiendo a mi alrededor, arranqué los restos de la cabina transparente, liberé el cuerpo de Leslie, laxo, indefenso, la blusa blanca flotando etérea en cámara lenta a su alrededor, la cabellera dorada graciosa, lánguida, libre, la liberé y pujé hacia arriba, hacia la superficie borrosa, tan alta por sobre nosotros. Está muerta. No, no, no. ¡Quiero morir ahora, que me estallen los pulmones, quiero ahogarme!

Una mentira me impulsó a seguir: No estás seguro de que ella haya muerto. Tienes que hacer el intento.

Ha muerto.

¡Tienes que intentarlo!

Una posibilidad en un millar. Cuando llegué a la superficie estaba completa, absolutamente exhausto.

—Todo va bien, tesoro —jadeé—. Nos salvaremos.

Un barco pesquero, con dos grandes motores fuera de borda, estuvo a punto de arrollarnos al hacer un enorme viraje a toda velocidad; nos ahogó en espuma; un hombre se arrojaba a través de la llovizna, con un cabo salvavidas en la mano.

Después de sólo diez segundos en el agua, chilló:

—¡Ya los tengo! ¡Arriba!

Yo no era fantasma y eso no era sueño. Había piedra de verdad, dura y helada, contra mi mejilla. No estaba observando objetivamente una escena: yo *era* la escena. No había nadie más que la observara.

Me tendí en su tumba, en la ladera donde ella había plantado flores silvestres, y sollocé. Fría hierba debajo de mí. En la piedra, contra mi cara, una palabra: *Leslie.*

Viento de otoño; no lo sentía. De regreso en mi propio tiempo; no me importaba. Total y completamente solo, tres meses después del accidente, aún estaba aturdido. Tenía la sensación de que un telón de treinta metros, con sus pesas, había caído sobre mí para sofocarme, enredarme, aplastarme en un dolor polvoriento. Nunca me había dado cuenta del valor que hace falta para no matarse cuando muere el compañero, la compañera. Más valor del que yo tenía. Sólo me lo impedían todas las promesas que había hecho a Leslie.

¡Cuántas veces habíamos trazado nuestros planes! Morir juntos, pasara lo que pasare; moriríamos juntos.

—Pero si no es así —me había advertido ella—, si yo muero primero, ¡tú debes seguir! ¡Prométemelo!

—Lo prometo si tú también lo prometes...

—¡No! Si tú mueres no tiene sentido que yo siga viviendo. Quiero estar contigo.

—Leslie, ¿cómo quieres que te prometa vivir si tú no prometes lo mismo? ¡No es justo! Estoy dispuesto a prometerlo porque existe la posibilidad de que ocurriera *con un motivo.* Pero no lo haré si no lo haces tú también.

—¿Un motivo? ¿Qué motivo podría haber?

—Es teórico, pero quizá tú y yo podríamos hallar algún modo de pasar más allá. Si el amor no es motivación suficiente para imponerse a la muerte, no se me ocurre otra. Tal vez podríamos aprender a estar juntos, aunque se nos haya enseñado a creer que la muerte es nuestro fin. Tal vez se trata sólo de una perspectiva diferente, de una hipnosis; quizá podríamos des-hipnotizarnos. ¡Qué don del cielo sería escribir eso!

Ella se había reído de mí.

—Tesorito mío, me encanta el modo en que tu mente resuelve estas cosas —dijo—. Pero me estás dando la razón, ¿no lo ves? No sólo eres tú el que lee los libros sobre la muerte, sino que eres escritor. Si existe una posibilidad de lograr ese... des-hipnotismo, existe un motivo para que sigas viviendo aunque yo muera. Podrías aprender y escribir sobre eso. En cambio no hay motivo para que yo siga viviendo si tú mueres. No podría escribir sin ti. Por eso ¡promételo!

—Escucha esto —decía yo, leyendo un párrafo de esos libros—: "... y mientras estaba sola en nuestra sala, llorando desesperadamente por mi querido Robert, un libro cayó del estante, sin que nada provocara su caída. Di un salto, muy sobresaltada; al levantarlo del suelo, las páginas se abrieron y mi dedo tocó la frase: *¡Estoy contigo!,* subrayada por su propia estilográfica."

—Muy bonito —dijo ella. Mi esposa, la escéptica, tomaba nuestras conversaciones sobre el tema con cautelosas pinzas.

—¿Lo pones en duda? —le pregunté yo—. ¿Eres una Leslie escéptica?

—Te digo, Richard, que si mueres...

—¿Qué dirá la gente? —protesté yo—. Circulamos por ahí diciendo... Circulamos por ahí *escribiendo,* en nombre de Dios, que el desafío de la vida en el espacio-tiempo es usar el poder del amor para convertir el desastre en gloria. ¿Y un minuto después de mi muerte, tú usas tu Winchester para matarte?

—En un momento así, no creo que me importe lo que diga la gente.

—¡Que no te importaría! ¡*Leslie María!*

Así hablábamos, una y otra vez. Ninguno de los

dos soportaba la idea de vivir sin el otro, pero cada uno de nosotros prometió al fin, exhausto, que no habría suicidio.

Ahora lamentaba esas palabras. En el fondo yo había pensado que, si no moríamos juntos, yo sería el primero en desaparecer. Y estaba seguro de poder saltar al cerco entre ese mundo y éste, como un gamo el alambre de púas, para estar con ella. Pero desde este mundo a aquél...

Me tendí en la hierba, contra aquella lápida satinada y gélida. Lo que yo sabía sobre el morir ocupaba estanterías enteras. Lo que sabía Leslie habría podido guardarlo en su bolso, dejando lugar para la cartera y la libreta de anotaciones. ¡Qué tonto había sido al prometer!

"Está bien, Leslie, no habrá suicidio." Pero su muerte me había tornado menos prudente que nunca. Ya avanzada la noche, por los estrechos caminos de la isla, conducía el viejo sedan Torrance de mi esposa a una velocidad más adecuada para coches deportivos, sin cinturón de seguridad, recordando.

Gastaba el dinero dispendiosamente. Cien mil dólares por un Honda Starflash: setecientos caballos de fuerza en una estructura aérea de quinientos cincuenta kilos, cien mil dólares para volar como demente el fin de semana, en remedos de las peleas de perros para los fanáticos locales del deporte.

Nada de suicidio, había dicho yo, pero no había prometido a mi esposa no pilotear como para ganar.

Me levanté trabajosamente de la tumba y caminé hasta la casa, pesados los pasos. Antes el crepúsculo era colores de fuego en el cielo; Leslie, una nube flotando de placer por lo que el ocaso hacía con sus flores: me señalaba una cosa, me mostraba otra. Ahora todo era gris.

Pye nos había dicho que podíamos hallar el camino de regreso a nuestro propio tiempo. ¿Por qué había callado que el camino de regreso era un accidente en el mar y que uno de nosotros debía morir?

Durante el día estudiaba mis libros sobre la muerte. Compraba más. ¡Cuántas personas se habían estrellado contra esa muralla! Sin embargo, el único modo de cruzarla era desde el otro lado hacia éste. Si Leslie estaba conmigo, observando, escuchando, no me daba señales. Ningún libro caía de los estantes, ningún cuadro se inclinaba en la pared.

Por las noches arrastraba mi almohada y mi saco de dormir a la terraza, bajo el cielo. No soportaba dormir sin ella en nuestra cama.

El sueño (en otros tiempos mi escuela, mi salón de conferencia, mi cúpula de aventuras en alter-mundos) era ahora sombras perdidas, fotografías tomadas de películas mudas. En cuanto captaba por un instante su imagen y avanzaba para estar con ella, despertaba solo, desolado. ¡Maldición! *¡Ella debería haber estudiado!*

Revivía aquellos extraños vuelos por el diseño una y otra vez, mentalmente, por mucho que dolieran, como el detective examina el cadáver en busca de pistas. En algún lugar tenía que haber una respuesta. De lo contrario moriría, con promesa o sin ella.

La noche era más brillante que nunca; las estrellas se arremolinaban en horas que se arremolinaban en estrellas, luminosas como aquella noche con le Clerc, en la antigua Francia...

Sabe que siempre, en derredor de ti, está la realidad del amor, y a cada momento tienes el poder de transformar tu mundo por obra de lo que has aprendido.

No temas ni te espantes ante la apariencia que es la oscuridad, ante el manto vacío que es la muerte.

Vuestro propio mundo es tan espejismo como cualquier otro. Vuestra unidad en el amor es la realidad, y los espejismos no pueden cambiar la realidad. No lo olvidéis. No importa lo que parezca ser...

Dondequiera vais, estáis juntos, a salvo con quien más amáis, en el punto de toda la perspectiva.

No creéis vuestra propia realidad. Creáis vuestras propias apariencias.

Necesitas el poder de Leslie. Ella necesita tus alas. ¡Juntos, voláis!

Es fácil, Richie. ¡Sólo hay que enfocar!

Golpeé la terraza con el puño, furioso; el fiero espíritu de Atila se liberaba para ayudarme.

No me importa si nos estrellamos, pensé; ni siquiera creo que nos hayamos estrellado. ¡No nos estrellamos, qué diablos! No me importa lo que vi, lo que oí, lo que toqué ni lo que gusté; ¡no me importan más pruebas que la vida! ¡Nadie está muerto nadie está enterrado nadie está solo siempre he estado con ella ahora estoy con ella siempre estaré con ella y ella conmigo y nada nada nada tiene la facultad de interponerse entre nosotros!

Oí a Leslie, una pelusa de su grito:

—¡Richie! *¡Es verdad!*

No nos habíamos estrellado más que en mi mente. Me niego a aceptar esa mentira como verdad. No acepto este supuesto lugar no acepto este supuesto tiempo no existe ese maldito Honda Starstreak, Honda ni siquiera fabrica aviones nunca los fabricó nunca los fabricará, me niego a aceptar que no estoy psíquicamente tan bien dotado como ella, he leído mil libros y ella ninguno, maldición, y tomaré ese acelerador y empujaré esa condenada cosa a través del cielo si es necesario, nadie se estrelló, nadie fue arrojado, éste es sólo otro aterrizaje en medio de ese maldito esquema y ya estoy harto de esta convicción de muerte-dolor y llanto sobre su tumba y *voy a demostrarle* que puedo hacer esto, que no es imposible...

Sollocé, furioso, enorme el poder que estallaba en mí, Sansón empujando los pilares que sostenían al mundo. Lo sentí moverse, como hierro que se curvara, los terremotos astillaron la casa. Las estrellas se estremecieron, se borronearon. De inmediato impulsé el brazo derecho hacia adelante.

La casa desapareció. El agua de mar tronó en torrentes bajo nuestras alas, Gruñón se desprendió de las olas, se liberó del agua y alzó vuelo, raudo.

—¡Leslie! ¡Oh, Leslie! ¡Has vuelto! *¡Estamos juntos!*

La cara de mi esposa estaba bañada de lágrimas y risas.

—¡Richie, tesoro! —gritó—. Lo hiciste, te amo. *¡LO HICISTE!*

17

(Nota del autor: no hay error en esto;
se trata de un segundo capítulo 17.)

Mi esposo dejó al otro Richard sentado en la cama, discutiendo por teléfono con su Leslie, y escapó conmigo por el balcón.

Me besó y nos abrazamos por un largo instante, felices de estar juntos, felices de ser nosotros.

—¿Por qué no intentas despegar tú, esta vez? —le dije—. Deberías comprobar que puedes hacerlo antes de que volvamos a casa.

El alargó la mano hacia el acelerador de Gruñón, pero no ocurrió nada. ¿Por qué le cuesta tanto?, me pregunté. Demasiadas pistas en esa mente, todas circulando al mismo tiempo.

—Es fácil, Richie —lo alenté—. Sólo hay que enfocar.

Yo misma tomé el acelerador y lo empujé para mostrarle cómo se hacía; de inmediato empezamos a movernos. Es como cuando se termina de filmar una escena de una película y se desarma el decorado: las montañas y los bosques se convierten en tela estremecida; las rocas, en esponjas que rebotan; al escenario llegan fuertes ruedas para llevarse todo.

—Déjame intentarlo otra vez —dijo él.

—Bueno, tesoro —dije—. La llevaré hacia atrás. Recuerda que el truco consiste en *enfocar*...

Me sorprendió que estuviéramos tan cerca de alzar vuelo. En cuanto llevé el acelerador hacia atrás, Gruñón saltó en el aire y allá abajo se vio el agua. El motor petardeó algunas veces, como cuando aún está demasiado frío para alzar vuelo. Nos elevamos, pero el morro cayó otra vez hacia abajo. El se apoderó de los controles, pero ya era demasiado tarde.

Todo parecía ocurrir en cámara lenta. Nos estrellamos lentamente, lentamente llegó una tormenta de ruido blanco, como si alguien pasara el dedo contra una púa de tocadiscos a todo volumen; lentamente hubo agua por doquier. Lentamente bajó el telón y las luces se apagaron en negro.

Cuando volvió el mundo, era verde y opaco; ya no había ruido alguno. Richard estaba aferrado al hidroavión, bajo el agua, arrancando trozos de la cabina, tratando frenéticamente de sacar algo mientras todo se hundía.

—No, Richie —le dije—. Tenemos un problema grave. ¡Es necesario que hablemos! En el avión no hay nada que nos interese...

Pero a veces él tiene ideas fijas y el orden de prioridades no le interesa; lo que le interesa es rescatar su vieja chaqueta de piloto o algo así. Se lo veía sumamente afligido.

—Está bien, tesoro —le dije—. Tómate el tiempo que quieras. Te esperaré.

Lo vi forcejear por un rato; por fin consiguió lo que buscaba y nadó hacia arriba. ¡Qué extraña sensación! Lo que estaba sacando del avión no era su chaqueta, sino a mí, laxa, con el pelo suelto, como una rata ahogada.

Lo vi sacar mi cabeza por encima del agua.

—Todo va bien, querida —jadeó—. Nos salvaremos...

El barco pesquero estaba casi encima de él; se deslizó hacia un costado en los últimos metros, en el momento en que un hombre saltaba desde la borda, con una soga atada a la cintura. En la cara de mi querido Richard había tanto pánico que no pude mirar.

Cuando aparté la vista vi una luz gloriosa: *amor*, expandido delante de mí. No era el túnel del que él me había hablado tanto, pero así lo parecía, porque en comparación con la luz todo lo demás era tinta y no había más rumbo que el de ese amor asombroso.

La luz decía: "No te preocupes", con una seguridad tan maravillosa, suave y perfecta que confié en ella con todo mi ser.

Dos siluetas avanzaban hacia mí. Una era la de un muchacho adolescente, tan familiar... Se detuvo a cierta distancia; se detuvo y permaneció inmóvil, observando.

La otra silueta se acercó; era un hombre mayor, no más alto que yo. Reconocí ese modo de caminar.

—Hola, Leslie —dijo, por fin. Su voz era grave y ronca, desgastada por los cigarrillos de muchos años.

—¿Hy? Hy Feldman, ¿eres tú?

Cubrí corriendo los últimos pasos que me separaban de él y nos abrazamos, nos abrazamos, girando en círculos, juntando nuestras lágrimas de alegría.

No tenía en el mundo entero amigo más querido que ese hombre, que me había apoyado en los viejos tiempos en que tantos otros me habían vuelto la espalda. No podía iniciar el día sin hacer un llamado a Hy.

Nos separamos para mirarnos, con sonrisas tan grandes que apenas nos cabían en la cara.

—¡Querido Hy! ¡Oh, Dios, esto es maravilloso!

¡No puedo creerlo! ¡Cuánto, cuánto me alegro de volver a verte!

Había muerto tres años antes... ¡Qué golpe, qué dolor el de esa pérdida! Y me había puesto furiosa...

De inmediato di un paso atrás para clavarle una mirada fulminante.

—¡Estoy enojadísima contigo, Hy!

El sonrió con los ojos chisporroteantes, como siempre. Yo lo había adoptado como sabio hermano mayor; él a mí, como hermana tozuda.

—¿Todavía estás enfadada?

—¡Por supuesto! ¡Qué cosa despreciable has hecho! ¡Yo te amaba, confiaba en ti! *Prometiste* no fumar otro cigarrillo mientras vivieras, pero seguiste fumando y rompiste *dos* corazones con el tabaco, Hy Feldman. ¡Rompiste también el mío! ¿Alguna vez se te ocurrió pensarlo? ¡Cuánto nos hiciste sufrir, a todos los que te amábamos, haciendo algo que nos privó de ti tan prematuramente! ¡Y por motivos idiotas!

El bajó la vista, manso y tímido, mirándome a través de esas cejas hirsutas.

—¿Sirve de algo que pida perdón?

—No —respondí, con un mohín—. Podrías haber muerto por buenos motivos, Hy, por una buena causa, y yo habría comprendido: lo sabes. Podrías haber muerto luchando por los derechos humanos, para salvar los océanos o los bosques... o la vida de cualquier desconocido. ¡Pero moriste por fumar, cuando habías prometido abstenerte!

—No volveré a hacerlo —me sonrió—. Lo prometo.

—¡Vaya promesa! —protesté. Y no pude dejar de reír.

—¿Te parece que fue hace mucho tiempo? —preguntó.

—Ayer.

El me tomó de la mano y la estrechó. Giramos hacia la luz.

—Vamos. Hay aquí alguien a quien extrañas desde hace más tiempo que a mí.

Me detuve. De pronto no podía pensar en otra cosa que no fuera Richard.

—Hy —dije—, no puedo, tengo que regresar. Richard y yo estamos en medio de una aventura realmente extraordinaria; estamos viendo cosas, aprendiendo cosas... ¡No veo la hora de contártelo! ¡Pero ha ocurrido algo espantoso! ¡Cuando lo dejé estaba frenético de preocupación! —Y por entonces yo también estaba frenética.— Tengo que volver a su lado.

—Leslie —dijo él, sujetándome la mano con fuerza—. Detente, Leslie. Tengo que decirte algo.

—¡No! No, Hy, por favor. Vas a decirme que he muerto. ¿Verdad?

El asintió con su triste sonrisa.

—Pero no puedo dejarlo, Hy. ¡No puedo desaparecer y no regresar jamás! No sabemos vivir el uno sin el otro.

Me miró, todo suave comprensión, borrada la sonrisa.

—Hemos conversado mucho sobre el morir, sobre cómo sería —continué—, y nunca tuvimos miedo a la muerte. Lo que temíamos era vernos separados. Decidimos que, de algún modo, moriríamos juntos. Y lo habríamos hecho, de no ser por este estúpido... ¿Te imaginas? ¡Ni siquiera sé cómo nos estrellamos!

—No fue estúpido —corrigió él—. Hubo un motivo.

—Bueno, no conozco ese motivo y, si lo conociera, no importaría. ¡No puedo dejarlo!

—¿No se te ha ocurrido pensar que tal vez él debe aprender algo y que jamás lo descubriría si te tuviera a su lado? ¿Algo importante?

Sacudí la cabeza.

—No hay nada tan importante —repliqué—. De lo contrario nos habríamos separado antes.

—Ahora estáis separados.

–¡No, no lo acepto!

En ese momento, el joven avanzó hacia nosotros, con las manos en los bolsillos y la cabeza gacha. Era alto y delgado, tan tímido que se le notaba al caminar. No pude apartar la vista, pero su aspecto me provocaba tal dolor en el corazón que apenas podía soportarlo.

Por fin él levantó la cabeza: traviesos ojos negros que sonreían nuevamente a los míos, después de tantos años.

¡Ronnie!

Mi hermano y yo habíamos sido inseparables cuando niños. Nos abrazamos estrechamente, llorando nuestro desesperado júbilo por vernos reunidos otra vez.

Cuando yo tenía veinte años y él diecisiete, Ronnie se mató en un accidente. Lloré su pérdida hasta los cuarenta años. Su vitalidad había sido tan intensa, tan imposible resultaba imaginarlo muerto, que nunca pude creer en su desaparición ni logré aceptarla. Eso me cambió; perdí la esperanza y la decisión; extraviada, deseaba morir. ¡Qué poderoso había sido el vínculo entre nosotros!

Ahora estábamos juntos otra vez y nuestra felicidad era tan abrumadora como lo había sido el dolor.

–Estás igual –le dije, por fin, observándolo con sorpresa. Recordaba ahora por qué nunca había podido ver una película de James Dean sin llorar: la cara de Ronnie se parecía mucho a la suya. – ¿Cómo puedes estar igual después de tanto tiempo?

–Esto fue sólo para que me reconocieras. –Se echó a reír, pensando en otras ideas que había tenido para nuestro reencuentro. – Iba a venir bajo la forma de un perro viejo o algo por el estilo, pero... Bueno, hasta yo me di cuenta de que no era buen momento para una broma.

Bromas. Yo había sido la seria, la que se esforzaba y pujaba, indetenible. El había decidido que nuestra pobreza era abrumadora, que luchar no tenía sentido; prefería el alivio de la comicidad; reía y hacía travesuras cuando yo estaba en mis momentos más graves, hasta darme ganas de estrangularlo. Pero era encantador, divertido, apuesto; todo se le perdonaba. Todo el mundo lo amaba; especialmente, yo.

—¿Cómo está mamá? —preguntó.

Me di cuenta de que lo sabía, pero que deseaba saberlo por mí.

—Mamá está bien, pero te echa de menos. Yo acabé por aceptar que ya no estabas, hace unos diez años, aunque no lo creas. Pero ella no lo aceptó. Jamás.

El suspiró.

Después de haberme negado a creer en su muerte, ahora apenas podía creer que estuviera allí, a mi lado. ¡Qué asombroso, tenerlo nuevamente junto a mí!

—Tengo tantas cosas que contarte, tanto que preguntar...

—Te dije que te esperaba algo maravilloso —dijo Hy.

Me echó un brazo sobre los hombros y Ronnie hizo lo mismo. Yo abracé a ambos por la cintura y los tres caminamos más hacia la luz, así abrazados.

—¡Ronnie, Hy! —Meneé la cabeza, otra vez sobrecogida.— ¡Este es uno de los días más felices de mi vida!

En ese momento vi lo que tenía por delante.

—¡Oh...!

Un valle glorioso se extendió ante nuestra vista mientras caminábamos; un riacho centelleaba entre campiñas y bosques, llenos de dorados y escarlatas otoñales. Detrás de él, montañas muy altas, coronadas de nieve. A la distancia caían silenciosamente cascadas de trescientos metros de altura. Era apabullante, como mi primera visita a...

—¿El parque Yosemite? —pregunté.

—Sabíamos que te encantaba —asintió Hy—; se nos ocurrió que quizá te gustaría sentarte aquí para conversar.

Buscamos un bosquecillo bañado de sol y nos sentamos sobre una alfombra de hojas. Nos miramos mutuamente, pura alegría. ¿Por dónde empezar?, me preguntaba, ¿por dónde?

Otra parte de mí sabía; formuló la pregunta que me había acosado por tantos años.

. —Ronnie, ¿por qué? Sé que fue un accidente, sé que no moriste por propia voluntad. Pero he estado descubriendo hasta qué punto manejamos nuestra vida. No puedo dejar de pensar que, en algún plano, tú elegiste abandonarnos en ese momento.

La respuesta llegó como si él lo hubiera pensado por tanto tiempo como yo.

—Fue una mala elección —respondió, con desenvoltura—. Estaba convencido de que, con tan mal comienzo en la vida, jamás podría progresar. A pesar de todas mis bromas yo era un alma extraviada, ¿lo sabías?

Esbozó una sonrisa traviesa para disimular la melancolía.

—Creo que, en el fondo, lo sabía —reconocí, con el corazón destrozado otra vez—, y eso es lo que nunca pude aceptar. ¿Cómo podías estar extraviado cuando todos te amábamos tanto?

—Yo mismo no me inspiraba tanta simpatía como a vosotros —explicó—. No me creía digno de amor ni de nada, en realidad. Ahora, al recordar, comprendo que podría haber llevado una buena vida, pero por entonces no lo veía de ese modo. —Apartó su rostro.— Mira, no se puede decir que yo haya decidido: "Ahora saldré a matarme", pero tampoco me esforzaba mucho por vivir. No trataba de sacarle jugo a la vida, como tú. —Meneó la cabeza.— Mala elección.

Nunca lo había visto tan serio. ¡Qué extraño y maravilloso era oírlo hablando así, borrando mi confusión y el dolor de décadas con unas pocas palabras de explicación!

Me sonrió con timidez.

−Te he estado vigilando −dijo−. Por un tiempo pensé que te reunirías conmigo muy pronto. Después te vi revertir la situación; comprendí que yo también habría podido hacerlo y me lamenté... Bueno, era una vida dura. Debería haberla manejado de otro modo. Pero aprendí muchísmo. Desde entonces no he dejado de aprovecharlo.

−¿Que me vigilabas? −repetí−. ¿Sabes lo que ha estado pasando en mi vida? ¿Conoces a Richard?

Me apasionaba pensar que él estaba enterado de la existencia de mi maravilloso marido.

El asintió.

−Es estupendo. ¡Me alegro por ti!

¡Richard!

De pronto volvió el pánico. ¿Cómo podía estarme sentada allí, conversando tranquilamente? ¿Qué me pasaba? Richard me había dicho que las personas pasaban por un momento de confusión después de la muerte, pero ¡eso era inconcebible!

−Está preocupado por mí, ¿sabes? Piensa que me ha perdido, que nos hemos perdido mutuamente. No puedo quedarme, por mucho que os ame a ambos, ¡no puedo! Comprendéis, ¿verdad? Tengo que volver a él...

−Leslie −dijo Hy−, Richard no podrá verte.

−¿Por qué? −¿Qué cosa terrible sabía Hy que yo no hubiera tenido en cuenta? ¿Acaso me había convertido en el fantasma de un fantasma? ¿Acaso estaba...?− ¿Vas a decirme...? ¿Quieres decirme que en realidad he muerto? ¿Que esto no es una muerte a medias, con la posibilidad de regresar, sino la *muerte real*? ¿Sin alternativas?

El asintió. Me interrumpí, estupefacta.

−Pero Ronnie ha estado conmigo, dijo que me vigilaba, que siempre estuvo.

—Pero tú no podías verlo, ¿verdad? —señaló Hy—. No sabías que estaba allí.

—A veces, en sueños...

—En sueños, claro que sí, pero...

Sentí un súbito alivio.

—¡Bien!

—¿Es ése el tipo de matrimonio que deseas? —dijo—. ¿Que Richard te vea cuando duerme y te olvide todas las mañanas? En vez de prepararte para salirle al encuentro cuando llegue, para enseñarle lo que has aprendido, ¿quieres flotar a su alrededor sin ser vista?

—Mira, Hy: pese a todo lo que hemos conversado sobre la muerte y la superación de la muerte, sobre nuestra misión conjunta a lo largo de muchas vidas, él sólo sabe que yo morí en un accidente de aviación y que ése fue mi fin. ¡Creerá que todas sus convicciones estaban equivocadas!

Mi viejo amigo me observaba con incredulidad. ¿Era posible que no comprendiera?

—¡Hy! ¡El motivo de nuestra vida fue estar juntos, expresar el amor! ¡No habíamos terminado! Es como escribir un libro y abandonarlo por la mitad, en el capítulo 17, cuando debía tener veintitrés. No podemos abandonar y hacer de cuenta que ése es el final. Dejar que el libro sea publicado, cosa inútil sin final...

Me negaba a creerlo.

—Viene un lector que quiere saber qué descubrimos, quiere saber cómo usamos lo aprendido bella y creativamente, para vencer los desafíos que se nos presentaban, y en medio del libro todo acaba con una nota del editor: *Entonces se estrellaron con su avión y ella murió; por eso nunca concluyeron con lo que habían empezado.*

—Casi todo el mundo deja su vida sin terminar. Así fue la mía —observó Hy.

—¡En eso tienes razón! —le espeté—. Entonces ya

sabes lo feo que es eso. ¡Nosotros no vamos a dar nuestra historia por terminada cuando está apenas por la mitad!

Me sonrió con su cálida sonrisa.

—¿Quieres que el relato diga que, después del accidente, Leslie volvió de entre los muertos y que vivieron felices por siempre jamás?

—No sería de lo peor. —Todos reímos.— Naturalmente, preferiría que dijera cómo lo hicimos, qué principios utilizamos, para que cualquiera pudiera hacer lo mismo.

¡Lo había dicho en broma, pero de pronto se me ocurrió que ésa podía ser una prueba más, un desafío más del esquema!

—Mira, Hy —dije—, Richard tuvo razón en muchas cosas que parecían locuras al principio. Ya conoces su ley cósmica, según la cual las cosas que tenemos en el pensamiento se hacen realidad. ¿Acaso la ley cósmica cambia súbitamente porque nos hayamos estrellado? ¿Cómo es posible que yo tenga ahora algo en el pensamiento, algo tan importante, sin que se torne realidad?

Vi que él cedía. Sonrió.

—Las leyes cósmicas no cambian.

Le estreché la mano.

—Por un momento me pareció que tratarías de detenerme.

—Nadie en el mundo tiene poder suficiente para detener a Leslie Parrish. ¿Por qué piensas que aquí podrían hacerlo?

Nos pusimos de pie. Hy me despidió con un abrazo.

—Tengo una curiosidad —dijo—. Si hubiera muerto Richard y no tú, ¿lo habrías dejado ir? ¿Habrías confiado en que se las compusiera bien por el tiempo que tú tardaras en concluir tu propia vida?

—No. Me habría matado.

—Cabeza de piedra —dijo.

–Sé que no tiene sentido. Nada tiene sentido, pero tengo que volver a él. No puedo dejarlo, Hy. ¡Lo amo!

–Lo sé. Anda, vete.

Me volví hacia Ronnie. Mi adorado hermano y yo nos abrazamos largamente, en silencio. ¡Qué difícil era separarse!

–Te amo –dije, mordiéndome los labios para contener las lágrimas, mientras daba un paso atrás–. Os amo a los dos. Siempre os amaré. Y volveremos a estar juntos, ¿verdad?

–Ya lo sabes –aseguró Ronnie–. Cuando mueras y busques otra vez a tu hermano, verás venir cierto perro viejo...

Reí entre lágrimas.

–Nosotros también te amamos –dijo.

Nunca había imaginado que pudiera llegar ese día. Bajo mi escepticismo había esperado siempre que Richard tuviera razón, que la vida fuera algo más que una sola existencia. Ahora lo sabía. Ahora, con lo que había aprendido del diseño y del morir, me alejé segura de ello. Sabía también que, algún día, Richard y yo caminaríamos juntos hacia el interior de esa bella luz. Todavía no.

Volver a la vida no era imposible, no era siquiera difícil. Una vez franqueado el muro que nos supone incapaces de intentar lo imposible, vi el diseño en el tapiz, tal como Pye había dicho. ¡Hebra a hebra, paso a paso! No volvía a la vida, sino a un enfoque de forma; es un enfoque que cambiamos todos los días.

Encontré a mi querido Richard en un mundo alternativo que, de algún modo, había tomado por real. Estaba caído en tierra, sobre mi tumba. Su dolor era una sólida muralla a su alrededor; no podía verme ni oír que estaba con él.

Pujé contra la muralla.

–Richard...

Nada.

– ¡Richard, *estoy contigo*!

Sollozó contra mi lápida. ¿No habíamos acordado *nada de lápidas*?

– Querido mío, estoy contigo en este mismo instante, mientras lloras en el suelo; estaré contigo cuando duermas y cuando despiertes. ¡Sólo nos separa tu convencimiento de que estamos separados!

Las flores silvestres, sobre la tumba, le decían que la vida cubre el sitio mismo donde la muerte sólo puede parecer, pero su mensaje le pasaba tan desapercibido como el mío.

Por fin se levantó trabajosamente y caminó como alma en pena hacia la casa, rodeado por su muro de dolor. Pasó por alto el crepúsculo y su mensaje a gritos: lo que parece noche es el mundo preparándose para un alba que ya existe. Y arrojó su saco de dormir en la cubierta.

¿Cuántos gritos puede bloquear un hombre, impidiéndoles llegar al saber? ¿Era ése mi esposo, mi querido Richard, siempre convencido de que nada ocurre por azar, desde la caída de una hoja hasta el nacimiento de una galaxia? ¿Llorando hasta perder el corazón, en su saco de dormir, bajo las estrellas?

– ¡Richard! – le dije –. ¡Tienes razón! ¡Siempre estuviste en lo cierto! ¡El accidente no ocurrió por azar! ¡La perspectiva! ¡Ya sabes todo lo necesario para hacer que volvamos a estar juntos! ¿Recuerdas? *¡Enfoque!*

De pronto descargó el puño contra la cubierta, descargando la ira contra sus murallas.

– ¡No hemos terminado! – le grité –. ¡Nuestra historia no ha terminado! Tenemos... tanto... por qué vivir... *¡Puedes cambiar ahora! ¡Querido Richard, AHORA!*

La muralla que lo rodeaba se movió, resquebrajada en los bordes. Cerré los ojos y enfoqué todo mi ser. Nos vi a ambos en la cabina intacta de Gruñón, suspendida por sobre el diseño; sentí que volábamos juntos. Sin dolor, sin pesar, sin separación.

El también lo sintió. Se esforzó por impulsar el acelerador hacia adelante. Tenía los ojos cerrados y cada fibra de su cuerpo se estremecía contra esa sencilla palanca.

Como si hubiera estado hipnotizado, como si se arrancara ahora de ese trance por pura voluntad, tembló y aplicó cada gramo de músculo contra sus propios convencimientos de hierro. Los convencimientos cedieron medio centímetro. Un centímetro.

Mi corazón casi estallaba por él. Agregué mi voluntad a la suya.

—¡Querido mío! ¡No he muerto, nunca morí! ¡Estoy contigo ahora mismo! ¡Estamos juntos!

Las paredes temblaron a su alrededor, dejando caer algunos trozos. El motor de Gruñón cobró impulso y ronroneó. Los indicadores del tablero se movieron imperceptiblemente.

Richard contuvo el aliento. Las venas palpitaban en su cuello; tenía los dientes apretados y luchaba por cambiar lo que había tomado por verdad. Negó el accidente. Contra toda la prueba de las apariencias, negó mi muerte.

—¡Richie! —le grité— *¡Es cierto!* ¡Sí, por favor! *¡Aún podemos volar!*

En ese momento el acelerador cedió y el motor cobró velocidad en un trueno; la espuma voló debajo de nosotros.

¡Era una gloria verlo! Abrió los ojos en el segundo en que Gruñón se desprendía de las olas.

Al fin oí su voz, en un mundo que volvíamos a compartir.

—¡Leslie! ¡Oh, Leslie! ¡Has vuelto! *¡Estamos juntos!*

Ella tenía la cara bañada en lágrimas y risas.

—¡Richie, tesoro! —exclamó—. ¡Lo hiciste, te amo, LO HICISTE!

18

Un buen modo de caer de narices, cuando se pilotea un avión, es tirar el volante de mando hacia atrás después del despegue y retenerlo allí. Pero estábamos arrebatados por el júbilo de la resurrección; Gruñón podría haber perdido las alas sin que dejáramos de ascender como cohetes.

La abracé, sentí sus brazos contra mí mientras ascendíamos.

—¡Leslie! —exclamé—. ¡No estoy soñando! ¡No has muerto!

No había muerto, no estaba enterrada en la colina, estaba conmigo, radiante como un amanecer. El sueño no era ese momento, sino esos meses transcurridos en la creencia de que ella había muerto, esos meses de llorar a solas en el tiempo alternativo.

—Sin ti era... —dije—. El mundo se detuvo. ¡Nada tenía importancia! —Le toqué la cara.— ¿Dónde has estado?

Ella rió entre lágrimas.

—¡Estaba contigo! —dijo—. Cuando nos hundimos te observé bajo el agua. Te vi sacar mi cuerpo del avión. Pensé que buscabas tu chaqueta, pero cuando vi lo que era no pude creerlo. Estaba allí mismo, contigo, pero no me veías; no veías más que mi cadáver.

Ella *había estado* conmigo.

Después de todo lo que habíamos aprendido juntos, ¿qué me hizo olvidar súbitamente y tomar las apariencias por realidad? Mi primera palabra, ante su muerte, había sido *¡NO!* Una sola palabra, verdad inmediata. ¿Por qué no presté atención? ¡Qué diferentes habrían sido las cosas si yo me hubiera negado a creer en esa mentira inmediatamente, en vez de negarme más tarde!

—Podría haberte ayudado —dije— si me hubiera aferrado a lo que sabía verdad...

Ella meneó la cabeza.

—Hacía falta un milagro para no enfocarse en lo que viste en el accidente. Y más tarde la pena fue como una muralla alrededor de ti. Yo no podía atravesarla. Si me hubiera dado prisa, tal vez...

—¡Maldito sea! —Ella volvió a abrazarme.— ¡Estuviste maravilloso! Pese a todo lo que veías, empujaste el acelerador de Gruñón y nos sacaste tú mismo de ese mundo, ¿te das cuenta? ¡Lo conseguiste!

Con qué rapidez, en ese terrible mundo-de-su-muerte, había empezado a olvidar el sonido de su voz, su aspecto. Volver a encontrarla era el deleite de encontrar nuevamente el amor.

—¡Tengo tanto que contarte! —dijo—. Sé que sólo ha pasado una hora o dos, pero tanto...

—¿Una hora? ¡Fueron *meses*, wookie! ¡Tres meses y una semana!

—No, Richie, una hora y media, cuanto más. —Me miró, desconcertada.— Me fui en medio de... —Contuvo el aliento, chispeantes los ojos.— ¡Oh, Richard, he visto a Ronnie! Estaba exactamente igual, como si nunca hubiera muerto. ¡Y también a nuestro querido Hy! Hy fue el primero en recibirme; me dijo que todo estaba bien, que tú y yo estaríamos juntos pronto, de un modo u otro. Y un momento después del accidente apareció esa bella luz, como en tus libros sobre la muerte...

Solía ocurrir que yo fuera a la ciudad a comprar mercancías; cuando volvía a casa, nos llevaba una hora ponernos al tanto con todo lo ocurrido mientras habíamos estado separados. Ese último viaje, una hora según su percepción, tres meses según la mía, ¿cuánto tardaríamos en relatárnoslo?

—¡Es un lugar maravilloso, Richie! —exclamó—. Si no fuera por ti, no habría vuelto jamás. —Lo pensó por un momento.— Dime: ¿habrían sido distintas las cosas para ti si hubieras sabido que yo estaba bien, que estaba feliz, entre gente a la que amaba?

—Si hubiera sabido que estabas a salvo y feliz, sí —le dije—. Creo que sí. Habría podido tomarlo como un... como un traslado, como si tú te me hubieras adelantado para mudarte a nuestra nueva ciudad, a nuestro nuevo hogar, a fin de aprender las normas y las calles y para conocer a la gente mientras yo terminaba nuestro trabajo aquí. Eso me habría ayudado un poco. Pero *no es* un traslado. ¡No hay correspondencia, no hay teléfono, no hay manera de *saber*!

—Sin el dolor —dijo Leslie— quizá podríamos haber conversado. Podríamos habernos reunido en las meditaciones y en los sueños. Pero estabas encerrado en tu dolor.

—Si vuelve a ocurrir, lo recordaré. Recordaré que estás conmigo, pase lo que pase. ¡Recuérdalo tú también!

Ella asintió.

—¡Hay tanto que aprender de esto, tantos acertijos que resolver! —dijo—. Han pasado treinta años desde la muerte de Ronnie. ¿Cómo es posible que estuviera allí, esperándome? Con tantas otras existencias, ¿por qué no estaba ausente, en alguna otra... encarnación?

–Es que lo estaba, y también nosotros –observé–. Mira allá abajo.

El esquema giró bajo nosotros. No tenía fin; no lo tendría jamás.

–Todas esas vidas a un mismo tiempo, y vidas posteriores y vidas intercaladas, también. ¿Todavía no lo crees? ¿No crees que sea cierto?

–No sé con certeza qué creo ahora –sonrió ella–, pero sé que vi otra vez a mi hermano. Siempre lleno de bromas, tan tonto como siempre. Dijo... –estalló en una carcajada.– Dijo que para nuestro próximo encuentro... se presentará como...

Rió hasta llorar.

–¿Como qué?

–¡Como perro viejo!

No comprendí, pero lo dicho por Ronnie bastaba para sofocar a su hermana con el recuerdo, y yo reí con ella. ¡Qué extraño placer, volver a reír!

En el diseño, allá abajo, tiene que haber dos nosotros alternativos, pensé, que no pudieron dar el salto para reencontrarse. No expresé el pensamiento en voz alta para evitar que se nos partiera el corazón otra vez.

Analizamos lo ocurrido y tratamos de entenderlo. No todo tenía sentido, pero una parte sí.

–¡Parecía muy real! –dije–. Yo no era fantasma; no pasaba a través de las paredes, la gente me veía y me conocía, nuestra casa era la de siempre. –Pensé en la casa.– No del todo –reconocí, reparando en los detalles que se me habían pasado desapercibidos en esos meses de separación.– Era nuestra casa, pero algo diferente. Y a mí no me extrañaba la diferencia. Y el coche... no era nuestro viejo Chrysler, sino un *Torrance*. ¿No te parece extraño?

–Si no contáramos con la práctica que nos ha dado el diseño –comentó ella–, creo que aún estarías viviendo allí. Si hubiéramos crecido en ese sitio alternativo sin haber brincado diez veces de una vida a otra, si estuviéramos convencidos de que el mundo del Torrance 1976 es el único que existe... Si yo hubiera muerto en ese mundo, ¿habrías podido desprenderte? ¿Habrías podido siquiera volver a reunirnos? ¿Habrías superado jamás el convencimiento de la muerte?

– ¡Qué pregunta! –dijo–. No sé.

– ¿En qué otra oportunidad nos hemos visto tan destrozados, tan exigidos hasta el límite de quienes somos? –preguntó–. Tal como eran las cosas, lo logramos apenas, Richie. ¡Lo logramos apenas, después de todo lo que aprendimos! –Contempló el laberinto de allá abajo.– ¿Es tan difícil salir de este lugar como lo fue entrar?

Ya juntos y a salvo, superada la peor prueba de nuestra vida, nos miramos mutuamente con un solo pensamiento: "Antes de que ocurra algo más, debemos hallar el camino de regreso."

– ¿Recuerdas lo que dijo Pye? –pregunté–. "El diseño es psíquico, pero.el camino de regreso es espiritual". Dijo que nos guiáramos por la esperanza.

Fruncí el ceño, pensativo. ¿Cómo hacer para guiarnos por la esperanza? Teníamos la esperanza de ir a casa. ¿Por qué no estábamos allí?

–No habló de esperanza, wookie –dijo Leslie, al fin–. ¡Habló de amor! ¡Dijo que nos guiáramos por el amor!

19

Sin duda alguna, Pye tenía razón: es fácil dejarse guiar por el amor.

Aquellos dos que iban hacia una reunión en Los Angeles... quizá su pequeño planeta fuera un espejismo, pero era *su* espejismo, la tela que habían escogido para pintar el amanecer tal como lo veían, y amaban lo que estaban pintando. Nos concentramos en ese amor.

— ¿Listo? —preguntó Leslie.

La tomé de la mano y juntos tocamos los volantes de mando que teníamos adelante. Con los ojos cerrados, enfocamos el corazón en aquellos dos, en su mundo, camino a sus propios descubrimientos. Así como nos amábamos, así amamos nuestro hogar y volamos para devolverle lo que habíamos visto y aprendido. No era mi mano la que movía los mandos; tampoco la de Leslie: eran los mandos los que movían nuestras manos, como si Gruñón se hubiera convertido en algo vivo y supiera hacia dónde volar.

Al cabo de un rato nuestro barco volador ami-

237

noró la velocidad y describió un amplio giro. Abrí los ojos y vi que Leslie abría los suyos. Lo vimos de inmediato. Allá abajo, sumergido en el agua, en medio de los giros y los abanicos de nuestro esquema, había un dorado número 8. Era el mismo sendero curvo que Pye había dibujado en la arena, entre Ciudad Amenaza y la ciudad de la Paz.

–Pye dijo que podemos dar pistas a otros aspectos de nosotros... –recordé.

–¡He allí nuestra pista! –exclamó Leslie–. ¡Nuestra querida Pye!

En cuanto apartamos la mente del amor nos vimos de nuevo librados a nuestros propios medios, como si se hubiera roto un hechizo. Gruñón dejó de ser nuestro socio para convertise en sirviente que pide instrucciones. Moví el volante hacia la derecha para prolongar nuestro círculo por sobre el signo dorado; llevé el acelerador hacia atrás e inicié el giro final hacia aquel punto. El viento rizaba la superficie, haciendo danzar el oro.

–Las ruedas están subidas; los flaps, abajo.

Fue una tarea simple posar el hidroavión en la marca. Volamos contra el viento a pocos centímetros del agua, suspendidos en la velocidad aminorada del Avemarina. Justo antes de llegar al signo, corté la potencia y Gruñón descendió con un chapoteo.

De inmediato el esquema desapareció. Allí estábamos, bien visibles en el otro Gruñón, encima de Los Angeles.

Pero no éramos los pilotos. ¡Eramos otra vez pasajeros en el asiento trasero, fantasmas de polizones! Allí adelante estaban los dos que habíamos sido, vigilando el cielo por si hubiera otros aviones, preparando el código de transponedor para descender en Santa Mónica. A mi lado Leslie estaba por gritar, pero se cubrió la boca con la mano.

–¿Cuatro seis cuatro cinco? –dijo Richard, el piloto.

—Eso —dijo su esposa—. ¿Qué harías sin mí?

No nos habían visto.

En el momento en que clavaba nuestro acelerador fantasma hacia adelante sentí la mano de Leslie en la mía, el mismo miedo en ella. En movimientos atormentadoramente lentos, mientras esperábamos sin respirar, la escena se tornó difusa y desapareció.

Una vez más nos encontramos cortando las pequeñas olas, por sobre el diseño; un toque al volante nos arrojó al aire.

—¡No, Richie! ¡Estaba segura de que ése era el único lugar donde podíamos aterrizar sin convertirnos en fantasmas!

Miré hacia abajo en medio del giro y busqué el símbolo dorado.

—¡Está allí no más y no podemos volver a casa!

Miré hacia atrás, con la esperanza de ver a Pye. No eran las grandes verdades lo que necesitaba en ese momento, sino simples instrucciones. Pero ella no estaba allí. La señal, bajo las olas, era una cerradura de combinación que nos llevaba a nuestro propio tiempo, pero no sabíamos cómo hacer girar los números.

—¡No hay salida! —dijo Leslie—. ¡Dondequiera aterrizamos somos fantasmas!

—Salvo en Lago Healey...

—En Lago Healey estaba Pye —observó ella—. Eso no cuenta.

—... y donde nos estrellamos.

—¿Donde nos estrellamos? —se extrañó ella—. ¡Yo sí era fantasma! Ni siquiera tú podías verme.

Quedó pensativa, tratando de resolver el problema.

Yo viré en un círculo hacia la izquierda alrededor del oro, para mantenerlo a la vista desde mi lado. Parecía ondular bajo el agua, borroneándose como si fuera un símbolo en la mente, no en el esquema; se esfumaba según nuestro enfoque en el amor cedía paso a la aflicción. Me incliné hacia él, concentrado.

Se estaba esfumando, en efecto. ¡Socorro, Pye!, pensé. Sin la marca importaría poco conocer o no la combinación. Empecé a memorizar el entrecruzamiento de rutas que había más allá. ¡No podíamos perder de vista ese sitio!

—...pero yo no era un fantasma observador —dijo Leslie—; creía haber muerto en el accidente. Como creía ser un fantasma real, lo era. ¡Tenías razón, Richie! ¡La solución está en el accidente!

—¡Aquí todos somos fantasmas, wookie —dije, memorizando siempre—. Todo es apariencias, metro a metro.

Dos ramales hacia la izquierda, seis a la derecha, dos casi rectos hacia adelante. La señal de borrada poco a poco, pero yo no quería decir nada.

—El mundo donde nos estrellamos era real para ti —observó ella—. Tú creías haber sobrevivido; por lo tanto, no eras fantasma. Era un tiempo paralelo, pero sepultaste mi cuerpo, vivías en una casa, piloteabas aviones, conducías automóviles y hablabas con la gente...

De inmediato comprendí lo que estaba diciendo. La miré, atónito.

—Para volver a casa, ¿quieres *estrellar otra vez el avión*? ¡Pye nos dijo que sería fácil, como saltar desde un tronco! ¡No mencionó que hubiera que *estrellar a Gruñón*!

—No, es cierto. Pero en el accidente hubo algo... ¿Por qué no eras fantasma, después de él? ¿Qué hubo de diferente en ese descenso?

—¡Que *salimos*! —exclamé—. No éramos observadores objetivos en la superficie, sino parte del esquema. ¡Estábamos en él!

Me volví para ver el signo; los restos del oro se estaban disolviendo. Giré en círculos sobre el lugar que había aprendido de memoria.

–¿Valdrá la pena probar? –sugerí.

–¿Probar qué? ¿Quieres decir...? ¿Quieres *saltar al agua* cuando aún estemos en vuelo?

Mantuvo los ojos fijos en el sitio donde había estado el símbolo.

–¡Sí! Empezamos a acuatizar; dejamos que el avión baje la velocidad y, en el momento en que vamos a tocar el agua, saltamos.

–¡Por Dios, Richard, es terrorífico!

–El esquema es un mundo de metáforas y la metáfora da resultado, ¿no te das cuenta? Para convertirnos en parte de un tiempo, para tomarlo en serio, tenemos que sumergirnos en él. ¿Recuerdas lo que dijo Pye sobre el flotar por sobre el esquema, sin dejarnos involucrar? ¿Y lo de saltar de un tronco? ¡Nos estaba indicando el modo de volver a casa! *¡El tronco es Gruñón!*

–¡No puedo! –aseguró ella–. ¡No puedo!

–Un vuelo lento, contra el viento –dije–; bajaremos a cuarenta y cinco kilómetros por hora. Prefiero saltar al agua antes que estrellarme...

Giré para el acercamiento final y me dispuse a acuatizar. Ella seguía la dirección de mis ojos.

–¿Qué estás vigilando?

–La marca desapareció. No quiero perder de vista el lugar donde estaba.

–¿*Desapareció?* –Miró por delante de mí el sitio vacío, allá abajo.– Bueno. Si tú saltas, saltaré. Pero una vez que lo hagamos no habrá manera de echarse atrás.

Tragué saliva, sin apartar la vista del sitio donde debíamos descender.

–Tendremos que desabrocharnos los cinturones de seguridad, abrir la cabina, salir y soltarnos. ¿Podrás?

–Tal vez convenga desabrochar los cinturones y abrir la cabina ahora mismo –observó ella.

Desabrochamos los cinturones. Un segundo después oí el rugir del viento: Leslie había quitado el seguro a la cabina transparente. La garganta se me quedó seca.

Ella se inclinó hacia mí para darme un beso en la mejilla.

—Las ruedas están arriba; los flaps, abajo —dijo—. Cuando quieras, estoy lista.

20

Tensos como flechas, observamos el agua que subía a nuestro encuentro.

—Prepárate —dijo.

—Cuando toquemos el agua, será cuestión de abrir la puerta y saltar —apuntó ella, ensayándolo una vez más.

—¡En efecto!

—¡No te olvides! —recomendó, sujetando con fuerza la cerradura de la cabina transparente.

—No te olvides tú tampoco —dije—, cualquiera sean las apariencias.

La quilla del barco volador hendió las olas. Cerré los ojos para que no me engañaran las apariencias.

CABINA TRANSPARENTE.

Sentí que Leslie se impulsaba hacia arriba al mismo tiempo que yo, con el viento rugiendo contra nosotros.

¡SALTAR!

Me arrojé por sobre la borda y, en ese instante, abrí los ojos. Habíamos saltado de nuestro avión, no al agua, sino al espacio vacío. Caíamos juntos, dando tumbos, sin paracaídas, directamente hacia Los Angeles.

–¡LESLIE!

Tenía los ojos cerrados y el aullido del viento no le permitió oírme.

Mentiras, me dije. *Estoy viendo mentiras.* En el momento en que negué aquella visión se produjo un *¡juomp!*, como si hubiéramos chocado con una pared de almohadas. Al abrir los ojos vi que ambos estábamos en la cabina de Gruñón. Una silenciosa concha de luz dorada estalló y se fue. Esta vez ocupábamos los asientos de los pilotos. Ronroneábamos por el cielo, tan a salvo como gatos en una alfombra.

–¡Lo logramos, Richie! –gritó ella, echándome los brazos al cuello con un chillido de placer–. ¡Lo logramos! ¡Eres un genio!

–Cualquier cosa en la que creyéramos habría dado resultado –dije modestamente, aunque no estaba seguro de eso. Si ella asegura que soy un genio, me dije, tendré que aceptarlo.

–No importa –manifestó Leslie, gozosa–. ¡Hemos regresado!

Llevábamos un rumbo de 142 grados, la brújula magnética marcaba un estable sudeste. Los instrumentos de navegación zumbaban y el loran refulgía de números anaranjados. El asiento trasero estaba desocupado. Allá abajo, el único diseño era el de las calles y los tejados; la única agua centelleaba en azul desde las piscinas de los patios traseros.

Leslie señaló dos aviones a la distancia.

–Tránsito allá –dijo– y allá.

–Ya los vi.

Miramos las radios al mismo tiempo.

–¿Lo intentamos?

Ella asintió, con los dedos cruzados.

–Hola, Centro de Los Angeles –dije–. Avemarina uno Cuatro Bravo. ¿Nos tienen en el radar?

–Afirmativo. Uno Cuatro Bravo es contacto de

radar tránsito a una en punto, tres kilómetros, hacia el norte, altitud desconocida.

El de la Torre de Control no preguntó dónde habíamos estado ni sugirió que hubiéramos desaparecido de su pantalla por un trimestre; tampoco oyó el coro de vítores y hurras que estalló en la cabina de Gruñón.

Leslie me tocó la rodilla.

—Dime qué viste la primera vez, cuando...

—Un cielo azul como las flores, un océano de aguas bajas sobre el diseño. Pye, Jean-Paul, Iván y Tatiana, Linda y Krys...

—Está bien. —Leslie meneó la cabeza.— No fue un sueño. Sucedió.

Volamos hasta Santa Mónica como Scrooges a su regreso, encantados con la Navidad de esta existencia.

—¿Y si es verdad? —dijo Leslie—. ¿Y si todos, en todas partes, son algún aspecto de quienes nosotros somos, así como nosotros somos algún aspecto de los demás? ¿Cómo cambiaría eso nuestro modo de vivir?

—Buena pregunta —dije. En el loran se encendió la marca de los quince kilómetros. Bajé el morro un poquito más y lo sostuve allí.— Buena pregunta...

Aterrizamos en la única y ancha pista del aeropuerto de Santa Mónica; carreteamos hasta el aparcamiento y apagué el motor. Casi esperaba que la escena saltara mil años cuando nos detuviéramos, pero no fue así. Se mantuvo: veintenas de aviones silenciosamente aparcados a nuestro alrededor, el susurro del tránsito en el paseo Centinela, la vieja planta aérea de Douglas, gigante erguido en el extremo de la pista.

Ayudé a mi esposa a bajar del avión. Pasamos un largo instante de pie en la superficie de nuestro propio planeta, en nuestro propio tiempo, abrazados.

—¿Estás sobrecogida? —le susurré contra el pelo.

Ella se echó atrás para mirarme a los ojos y asintió.

Bajé nuestras maletas del avión. Extendimos la

cabina transparente sobre el parabrisas y la sujetamos con fuerza.

Al otro lado de la rampa de aparcamiento, un muchacho dejó un Luscombe Silvaire a medio lustrar, subió a un camión de combustible y circuló hasta detenerse frente al Avemarina.

Era un muchachito, no mayor de lo que yo había sido en los tiempos en que desempeñaba el mismo oficio. Lucía el mismo tipo de chaqueta de cuero que yo en aquellos días, aunque la suya tenía el nombre DAVE cosido sobre el bolsillo izquierdo. ¡Qué fácil era verme a mí mismo en él, cuánto podíamos decirle de sus futuros, que ya eran verdad, de las aventuras que en ese momento aguardaban su elección!

—Buenas tardes —nos saludó—. ¡Bienvenidos a Santa Mónica! ¿Les cargo un poco de combustible?

Nos echamos a reír. ¡Qué extraño, volver a necesitar combustible!

—Sí, por supuesto —dije—. El viaje ha sido largo.

—¿Dónde han estado? —preguntó él.

Miré a mi esposa pidiendo ayuda, pero ella no me la ofreció; sin comprometerse, esperaba mi respuesta.

—Oh, volando por allí —dije, manso.

Dave luchó con una palanca y aplicó la bomba de combustible del camión.

—Todavía no he piloteado ningún Avemarina —dijo—, pero dicen que pueden descender casi en cualquier parte. ¿Es cierto?

—Sí que es cierto —le aseguré—. Este avión te lleva a cualquier sitio que puedas imaginar.

21

Sólo cuando estuvimos a salvo en nuestro automóvil alquilado, camino al hotel, nos atrevimos a plan-
tear la cuestión.

—Bueno —dijo Leslie, mientras nos conducía,
zumbando, por el ingreso a la autopista de Santa Mónica—, ¿lo analizamos o no?

—¿En el congreso? —pregunté.

—Donde sea.

—¿Y qué decimos? "Cuando veníamos a esta reunión nos ocurrió algo extraño: quedamos detenidos en
medio del aire durante tres meses encerrados en una
dimensión donde no hay espacio ni tiempo salvo que a
veces parece haberlo y descubrimos que todo el mundo
es un aspecto de todos los demás porque la conciencia
es una sola y a propósito el futuro del mundo es subje-
tivo y nosotros mismos escogemos lo que va a pasar al
mundo entero según lo que elegimos convertir en verdad para nosotros mismos gracias muy amables ¿hay
alguna pregunta?"

Ella se echó a reír.

—En cuanto hay en este país unas cuantas personas dispuestas a admitir que quizá no sea imposible

vivir más de una existencia, henos aquí diciendo que no, que todo el mundo tiene un *infinito* número de existencias y que todas ocurren al mismo tiempo. No, mejor no entrar en eso. Mejor reservarnos lo que ocurrió.

–No es nuevo –advertí–. ¿Recuerdas lo que dijo Albert Einstein? *Si hemos de creer a los físicos,* dijo, *la diferencia entre pasado, presente y futuro es sólo una ilusión, aunque empecinada.*

–¿ALBERT EINSTEIN dijo eso?

–¡Y no has oído ni la mitad! Cuando quieras oír algo increíble, consulta con tu físico. La luz es curva; el espacio se deforma; los relojes puestos en los cohetes marchan más lentamente que los relojes de casa; divide una partícula y obtendrás dos del mismo tamaño; dispara tu rifle a la velocidad de la luz y nada saldrá del caño... No se puede decir que tú y yo estemos echando a rodar esto al mundo. Quienquiera haya leído sobre la mecánica cuántica, quien haya jugado alguna vez con el gato de Schroedinger...

–Pero ¿a cuántas personas conoces que amen al gato de Schroedinger? –observó ella–. ¿Cuántas personas se quedan levantadas en la noche fría para seguir con sus cálculos y su física cuántica? No creo que debamos hablar del tema. No creo que nadie nos creyera. Nos ocurrió a nosotros, pero yo misma dudo de que sea verdad.

–Mi querida escéptica –dije.

Pero yo también dudaba. ¿Y si todo era un sueño, un raro sueño a dúo, el esquema, Pye y...? ¿Y si todo era fantasía?

Entorné los ojos para observar el tránsito, probándolo desde nuestra nueva perspectiva. ¿Eramos nosotros los que viajábamos en esa limosina Mercedes de vidrios espejados? ¿Nosotros, en el herrumbrado Chevrolet detenido al costado del camino, con el radiador despidiendo vapor? ¿Allí, nosotros, recién casados? ¿Nosotros al costado, con el ceño fruncido, rumbo al escenario de algún futuro crimen, con el asesinato en el corazón? Tratamos de verlos como si fuéramos nosotros en otros cuerpos, pero no funcionó. Cada uno era independiente y desconocido en su capullo de acero rodante. Me era tan difícil imaginarnos en el lujo como en la pobreza, aunque por ambos habíamos pasado. Somos sólo nosotros, pensé, y nadie más.

– ¿No tienes hambre? – preguntó Leslie.

– Llevo meses sin comer.

– ¿Aguantarás hasta el paseo Robertson?

– Si tú aguantas, yo también.

Leslie aceleró por la autopista; luego aminoró la marcha hacia la salida a las calles que quedaban desde sus tiempos en Hollywood. Esa existencia había quedado más atrás que la de le Clerc, a juzgar por lo vinculada que se sentía a ella.

A veces, cuando nos quedábamos despiertos en la cama hasta entrada la noche, mirando películas viejas, ella me abrazaba sin previo aviso y me daba las gracias por haberla arrancado de todo eso. Sin embargo, yo sospechaba que una parte de ella echaba de menos esa vida, aunque Leslie nunca lo admitía, a menos que la película fuera muy buena.

El restaurante aún estaba allí: un paraíso vegetariano, libre de humo y con música clásica, para los hambrientos con principios. Se había vuelto popular cuando ya no vivíamos en la ciudad; el aparcamiento más cercano estaba a una manzana de distancia.

Leslie bajó del coche y se puso en marcha, enérgica, hacia el restaurante.

– ¡Pensar que yo vivía aquí! ¿No te parece imposible? ¿Cuántas vidas atrás?

– No puedes decir *atrás* –apunté, tomándola de la mano para que redujera la marcha –. Sin embargo, debo admitir que es más fácil entender las vidas yuxtapuestas en serie que las simultáneas. Primero, en el antiguo Egipto; después, una aventura en la dinastía Han; colonizamos el Salvaje Oeste...

Camino hacia el restaurante pasamos junto a un gran escaparate que mostraba una pared entera de televisores, todos encendidos al mismo tiempo: la confusión de a cuatro en fondo.

–...pero lo que acabamos de descubrir no es tan fácil.

Leslie echó un vistazo al escaparate y se detuvo, tan súbitamente como si se hubiera olvidado del bolso o acabara de romper el tacón de su zapato. En un momento dado iba corriendo hacia el restaurante, muerta de hambre; al siguiente se quedaba petrificada mirando televisión.

–¿Todas nuestras vidas al mismo tiempo? –dijo, perdida en esas pantallas–. Vidas de Jean-Paul le Clerc, vidas del fin del mundo, vidas de Mashara en universos diferentes, todas al mismo tiempo y no sabemos cómo expresarlo, siquiera cómo captarlo?

–Hum. No es fácil –admití–. ¿Y si comemos algo?

Ella dio un golpecito al vidrio del escaparate.

Todos los televisores estaban sintonizados en diferentes canales. A esa altura de la tarde, casi todos presentaban películas viejas.

En una pantalla, Scarlett O'Hara juraba nunca más tener hambre; en la siguiente, Cleopatra planeaba cómo conquistar a Marco Antonio; debajo de ella bailaban Fred y Ginger, un torbellino de sombrero de copa y *chiffon;* a su derecha volaba Bruce Lee, un rayo de venganza draconiana; a poca distancia, el capitán Kirk y la encantadora teniente Paloma burlaban a un dios espacial; a la izquierda, un audaz caballero arrojaba cristales mágicos que dejaban su cocina reluciente de tanta limpieza.

Otros dramas, en otras pantallas, llenaban el escaparate a lo largo de la acera. Desde cada pantalla pendía un cartelito carmesí: ¡COMPREME!

–¡Simultáneo! –dije.

–Por lo tanto, el pasado o el futuro no depende

del año que corra —observó ella—, sino del canal sintonizado... *¡Depende de lo que elegimos ver!*

—Un infinito número de canales —dije, interpretando el escaparate—, pero ningún televisor puede transmitir más de un canal en un momento dado. Por eso cada uno está convencido de ser el único canal existente.

Ella señaló por sobre mi hombro.

—Un aparato nuevo.

En la otra esquina del escaparate, un aparato de alta tecnología mostraba a Spencer Tracy desconcertado por Katharine Hepburn, mientras una inserción de cinco pulgadas, dentro de la imagen, mostraba un montón de coches de carrera lanzados hacia la meta.

—¡Ajá! —exclamé—. Si somos lo bastante avanzados, podemos sintonizar más de una vida.

—¿Y cómo llegamos a ser tan avanzados? —se preguntó Leslie.

—¿Costamos más?

Ella se echó a reír.

—Ya sabía que había una manera.

Seguimos caminando, abrazados. Entramos en nuestro restaurante preferido y buscamos una cabina.

Ella abrió el menú y lo abrazó.

—¡Ensalada "raíces del cielo"! —exclamó.

—Hay cosas que nunca cambian.

Leslie asintió, feliz.

22

Durante la cena no podíamos dejar de conversar. El escaparate colmado de televisores, ¿había sido coincidencia o vivíamos rodeados por respuestas sin darnos cuenta? Pese a estar hambrientos, nos olvidábamos de la comida.

–No es coincidencia –dije–. Cuando lo pensamos, todo es metáfora.

–¿Todo?

–Ponme a prueba –dije–.

Después de lo que hemos aprendido, cualquier cosa que puedas mencionar... está tratando de enseñarnos algo que puedo demostrarte.

Aun a mí me sonaba audaz.

Ella echó un vistazo al paisaje marino pintado al otro lado del salón.

–El océano –dijo.

–El océano contiene muchas gotas de agua –empecé; apenas necesitaba pensar; la idea estaba tan clara en mi mente como si fuera uno de los cristales de Atkin flotando ante mí.– Gotas hirvientes y gotas heladas, brillantes y oscuras, gotas que vuelan en el aire y gotas estrujadas por toneladas de presión. Gotas que se transforman una en otra y en la siguiente, gotas que se evaporan y se condensan. Cada gota es una con el océano. Sin el océano, las gotas no pueden existir. Sin las gotas, el océano no puede ser. Pero no se puede hablar de "una gota" en el océano. No hay límites entre las gotas hasta que alguien lo traza.

—¡Muy bien! —ponderó ella—. ¡Eso estuvo muy bien, Richie!

Contemplé mi mantel individual, que mostraba el mapa de Los Angeles.

—Calles y autopistas —dije.

Ella cerró los ojos.

—Las calles y las autopistas vinculan cada lugar con todos los demás, pero cada conductor elige adónde quiere ir —dijo, lentamente. —Puede dirigirse a una bella campiña o a los suburbios de tabernas, a una universidad o a un bar; puede seguir la ruta hasta el horizonte o ir y venir por una misma huella; puede también aparcar y no ir a ninguna parte.

Leslie observaba la idea en su mente, la hacía girar, divirtiéndose.

—Puede elegir el clima según su punto de destino; puede conducir con prudencia o peligrosamente; puede viajar en un coche de carrera, uno de paseo o un camión; puede mantener su vehículo a la perfección o dejar que se haga pedazos. Puede conducir sin mapa y hacer de cada giro una sorpresa o planear exactamente adónde irá y de qué modo llegará a ese sitio. Cada ruta que tome estará ya allí antes de que él la escoja y después de que haya pasado. Cada viaje posible ya existe y el conductor, la conductora, es una con todos ellos. Se limita a elegir, todas la mañanas, qué viaje hará ese día.

—¡Vaya! ¡Perfecto!

—Esto ¿lo acabamos de aprender —preguntó ella— o lo hemos sabido siempre sin preguntárnoslo?

–Antes de que pudiera responderle me puso a prueba de nuevo:– La aritmética.

No pudimos hacerlo con todos los temas, pero sí con casi todos los sistemas, las aficiones y las vocaciones. Programación de computadora, filmaciones, ventas al menudeo, bolsos, manufacturas, vuelo en avión, jardinería, ingeniería, arte, educación, navegación a vela... Detrás de cada vocación yace una metáfora con la misma visión serena del funcionamiento universal.

–Leslie, ¿no tienes la sensación de que...? ¿Somos ahora las mismas personas que antes?

–No, no lo creo –respondió–. Si hubiéramos vuelto sin cambios después de lo que pasó, seríamos... Pero no es eso lo que quieres decir, ¿verdad?

–No, me refiero a una verdadera diferencia –manifesté, sin levantar la voz–. Mira a los que nos rodean, a las personas de ese restaurante.

Ella lo hizo, por un tiempo larguísimo.

–Tal vez pase, pero...

–... conocemos a todos –completé.

A la mesa vecina había una mujer de Vietnam, agradecida por la bondad, la crueldad, el odio y el amor de América, orgullosa de sus dos hijas, que se desempeñaban maravillosamente en la escuela y eran las mejores alumnas. Lo comprendimos todo y nos sentimos orgullosos con ella, y también de lo que había hecho para que la esperanza cobrara realidad en la vida de las tres.

Al otro lado del salón, cuatro adolescentes reían e intercambiaban palmadas, ignorantes de todo, salvo de sí mismos, suplicando atención por motivos que no conocían. Esos años torpes y dolorosos de nuestras propias vidas levantaron ecos en nuestro corazón: una comprensión instantánea.

Más allá, un joven estudiaba intensamente para los exámenes finales, ajeno a todo lo que no fuera la página que tenía delante, en la que seguía gráficos con el lápiz. Sabía que probablemente no volvería a grafi-car los momentos de flexión de las vigas en doble T en toda su vida, pero sabía también que lo importante es el sendero, que el valor está en cada paso dado por él. Nosotros también lo sabíamos.

Una pareja de pelo blanco y ropas pulcras mur-muraba en la cabina del rincón. ¡Tanto que recorda-mos lo que hacíamos con una existencia, sensaciones tan cálidas por haber hecho lo mejor que sabíamos, planear futuros que nadie más pudiera imaginar!

—Qué sensación extraña —dijo.

—Sí —confirmó ella—. ¿Ha pasado antes alguna vez?

Algunas raras experiencias de viaje astral, pensé, tienen cierta unidad cósmica. Pero nunca me había sentido en unidad con la gente de los restaurantes.

—A este punto, no, no lo creo.

Recuerdos diseminados que se remontaban hasta donde la memoria, conexiones de gasa con todos los demás: eso subyacía bajo lo que se presentaba como diferencias.

Uno, había dicho Pye. Es difícil criticar, pensé, difícil juzgar cuando somos nosotros mismos los que estamos bajo los reflectores. No hay necesidad de juzgar cuando ya comprendemos.

Uno. ¿Eran aquéllos los jovencitos que habíamos sido, las almas sapientes que aún debíamos ser?

Un enfoque de íntima y expectante curiosidad conectaba a cada uno de nosotros con el otro, mudo y sereno deleite ante nuestra capacidad de construir vidas, aventuras y anhelos de saber.

Uno. Al otro lado de la ciudad, ¿ellos eran tam-bién nosotros? ¿El actor no descubierto y la gran estrella, el traficante de drogas y el policía, el abogado, el terrorista y el músico de conservatorio?

Esa suave comprensión se mantuvo en nosotros mientras conversábamos. No es el tipo de conoci-miento que viene y se va, pensé; es nuestra conciencia la que está aquí. Lo que vemos es nuestra propia conciencia, y cuando ella se aparta ¡cómo cambian nuestras escenas! Todos en este mundo, todos somos reflejos, espejos vivientes los unos de los otros.

—Creo que nos ha pasado mucho más de lo que empezamos siquiera a comprender —dijo Leslie.

—Es como si nuestro carrito circulara sobre un millón de cambios de vía —dije— y viéramos cambiar los rieles bajo nosotros. ¿Dónde salimos, hacia dónde nos encaminamos?

Mientras conversábamos afuera descendió la oscuridad. Nos sentíamos como amantes que volvieran a encontrarse en el paraíso: éramos los mismos de siempre, pero ahora habíamos echado un vistazo a quienes habíamos sido, y visto lo que podría pasar en vidas que aún no conocíamos.

Por fin abandonamos el restaurante, abrazados. Caminamos por la noche y por la ciudad. Los coches siseaban hacia el nortesuresteoeste en las calles; un niño en patineta nos esquivó graciosamente a alta velocidad, con un rugir de ruedas. Una pareja joven avanzó hacia nosotros en silencioso arrebato, muy abrazados ellos. Todos nosotros, rumbo al encuentro de las elecciones de ese minuto, ese atardecer, esa existencia.

23

A las ocho y cuarenta y cinco de la mañana
siguiente, seguimos un camino bordeado de árboles
hasta lo alto de la colina y entramos a un jardín para
aparcar, con espacio para automóviles entre las flores.
Caminamos por uno entre muchos senderos hasta el
salón de reuniones, entre matas de narcisos, tulipanes y
jacintos; entre ellos brillaban diminutas flores plateadas; en el aire, delicados aromas. ¡Spring Hill, la colina
de la primavera, merecía su nombre!

En el edificio, un salón espacioso, con múltiples
ventanas, se extendía ante nosotros, construido en
voladizo por sobre el mar. En el agua, abajo, danzaba
la luz del sol, reflejando diseños en el techo.

Dos hileras de sillas se extendían en amplio arco
a través del salón, con un espacioso pasillo entre ellas.
Más allá de las sillas se veía una plataforma baja, tres
pizarrones de color verde lima y un micrófono en su
soporte plateado.

Nos detuvimos ante una mesa de la entrada. En
ella sólo había dos rótulos con nuestros nombres, dos
folletos informativos, libretas y estilográficas: los nues-

tros. Eramos los últimos en llegar, los últimos de cincuenta o sesenta personas que habían viajado miles de kilómetros para asistir a esa reunión de mentes.

Hombres y mujeres se saludaban, de pie entre las sillas. Alguien se inclinó ante el pizarrón central y escribió un tema con su nombre.

Un corpulento caballero, pelo negro veteado de gris, subió a la plataforma.

—Bienvenidos —dijo firmemente al micrófono, por sobre la cháchara del salón—. Bienvenidos a Spring Hill. Parece que ya hemos llegado todos.

Esperó a que nosotros halláramos nuestras sillas y tomáramos asiento. Leslie y yo terminamos de ponernos nuestros rótulos y levantamos la vista hacia el orador, en el mismo instante. La sala se borroneó por la impresión.

Me volví hacia ella en el mismo segundo en que ella se volvía hacia mí.

—¡Richie! Es...

El orador se acercó al pizarrón del centro y tomó una tiza.

—¿Hay alguien que no haya anotado aún el título de su disertación? ¿Los Bach, que acabáis de llegar...?

—¡*Atkin!* —dije.

—Puede llamarme Harry —dijo él—. ¿Tiene título para su disertación?

Fue como volver al diseño, como aterrizar en alguna sucursal de la fundición de ideas. Exceptuando la marca de unos pocos años, el hombre era el mismo. ¿Acaso no estábamos en Los Angeles, como habíamos creído? ¿Y si de algún modo se nos había pasado por alto...?

—¡No! —dije, trémulo—. No hay título. No hay disertación.

Las cabezas se volvieron por un momento. Rostros desconocidos, pero...

Leslie me tocó la mano.

—No puede ser —susurró—, pero ¡qué coincidencia!

Por supuesto. Harry Atkin nos había invitado; era
él quien firmaba la carta que nos había hecho viajar
hasta allí; conocíamos su nombre antes de abandonar
nuestra casa. ¡Pero se parecía mucho a Atkin!

—¿Alguien más? —preguntó—. Recuerden que
hay un máximo de quince minutos para la primera
rueda de disertaciones. Seis disertaciones y una pausa
de quince minutos; seis más y una hora para almorzar.
¿Algún otro título?

Una mujer se levantó, a algunas sillas de distancia de nosotros.

Atkin la señaló con la cabeza.

—¿Sí, Marsha?

—*La inteligencia artificial ¿es artificial? Nueva
definición de la humanidad.*

El hombre escribió el título en letras de imprenta
en el pizarrón central, bajo otros diez, diciendo las
palabras mientras escribía:

—... de... la... huma...ni... dad —dijo—. MARSHA
BAN... NAR... JEE. —Levantó la vista.— ¿Alguien
más?

Nadie alzó la voz. Leslie se inclinó hacia mí.

—¿Nueva definición de la humanidad? ¿Eso no
te suena a...?

—¡Sí! Pero Marsha Bannarjee es un nombre
conocido —susurré a mi vez—; es una autoridad en
inteligencia artificial y hace años que escribe. No
puede ser...

—Creo que estamos abusando un poco de las
coincidencias —observó ella—. ¡Fíjate en los otros
títulos!

Harry Atkin echó un vistazo a una nota.

—El directorio me ha pedido explicar que Spring
Hill es una reunión íntima de sesenta entre las mentes
más originales que se han encontrado en las ciencias y
las comunicaciones de la actualidad. —Hizo una pausa

y levantó la vista, con una sonrisita... ¡la misma sonrisa! – Si habláramos de sesenta entre las mentes más *inteligentes,* probablemente la lista sería otra...

La carcajada chisporroteó en la sala.

El primer tópico del tablero era el del mismo Atkin: LA ESTRUCTURA Y LA PROYECCION DE IDEAS. Me volví hacia Leslie, pero ella ya lo había leído y asintió con la cabeza, en tanto seguía adelante con la lista.

–Ustedes han sido invitados porque son diferentes –dijo Harry–, porque el directorio ha notado que se deslizan por el borde del hielo. Spring Hill se organizó para ponerlos en contacto con algunos otros patinadores que se deslizan tan cerca del límite como cada uno de ustedes. No queremos que se sientan solos allá afuera...

Leímos los títulos del pizarrón, cada vez más atónitos:

UN FUTURO SIN FRONTERAS: EL NACIMIENTO DE LA NACION ELECTRONICA. EXPERIMENTOS EN LA FISICA DE LAS PARTICULAS DE PENSAMIENTO. ¿QUÉ HACE UNA PERSONA SIMPATICA COMO TU EN UN MUNDO COMO ESTE? ASIGNACION DE IMPUESTOS: COMO AVERIGUAR LA VOLUNTAD DEL PUEBLO. QUE TAL SI...: DECISIONES PREVIVIDAS.

SUPERCOMPUTADORAS HIPERCONDUCTIVAS PARA LA RESTAURACION ECOLOGICA META INDIVIDUAL: TERAPIA PARA LA POBREZA Y EL CRIMEN.

CAMINOS HACIA LA VERDAD: DONDE LA CIENCIA SE ENCUENTRA CON LA RELIGION EL DESTRUCTOR COMO EXPLORADOR: NUEVOS PAPELES PARA LOS MILITARES. CAMBIAR EL AYER, CONOCER EL MAÑANA.

FAMILIARES POR ELECCION; LA FAMILIA EN EL SIGLO XXI.

COINCIDENCIAS: ¿HUMOR DEL UNIVERSO?

PARA REVERTIR EL DESASTRE: ELECCIONES EN LA POLITICA MODERNA.

– ...recordarles que cualquiera, durante cualquier disertación –estaba diciendo Atkin–, puede acercarse a los tableros laterales para anotar conexiones, interrelaciones, rumbos de investigación e ideas que el disertante haya podido fusionar en su mente. Cuando los pizarrones se hayan llenado, se borrará la idea de arriba para agregar otra; después, la siguiente, y así sucesivamente.

¿ES NECESARIO MORIR?

HOMO AGAPENS: REQUISITOS PARA UNA NUEVA RAZA.

LA VENTA DEL AIRE: UTILIDADES PARA LA RESTAURACION PLANETARIA.

EL APRENDIZAJE DEL IDIOMA DELFIN.

ALTERNATIVAS CREATIVAS A LA GUERRA Y LA PAZ.

¿MUCHOS MUNDOS A UN MISMO TIEMPO? ALGUNOS ESQUEMAS DE POSIBILIDAD.

– ¿Ves eso, Richie? ¡Fíjate en el último!

Atkin sacó un cronómetro del bolsillo de su chaqueta y lo programó, CHIIP-CHIIP-CHIIP..., exigente canario electrónico.

– Quince minutos pasan muy pronto.

Leí y parpadeé. ¿Era posible que alguna otra persona hubiera descubierto el esquema? No se nos había ocurrido la posibilidad... *¿Y si no éramos los únicos que habían estado allí?*

– ...tendrán que rozar la superficie de sus últimos trabajos en nuestro beneficio, tan rápido como les sea posible –prosiguió Atkin–: lo que han descubierto y hacia dónde investigarán a continuación. Podemos reunirnos durante las pausas para intercambiar más detalles, datos de investigación o para acordar reuniones en otro sitio. Pero cada uno deberá detenerse cuando oiga esto. −Dejó oír otra vez el canario.− Porque entonces será el turno de otra persona, que tendrá para decir cosas igualmente asombrosas. ¿Alguna pregunta?

Aquello parecía el arranque de alguna máquina de gran velocidad. Sentimos que las mentes echaban a funcionar a nuestro alrededor, objetos exóticos a altas revoluciones, tironeando para partir. Era como si Atkin hubiera agitado una bandera de partida.

Giró para consultar el reloj.

−Comenzaremos dentro de un minuto, a la hora justa. Habrá una grabación del congreso disponible para todos. Cada uno tiene ya su nombre y su número. La pausa para almorzar será a las doce y cuarto; la cena, entre las cinco y las seis, en la sala contigua a ésta; interrumpiremos a las nueve y cuarto de esta noche para recomenzar mañana, a las ocho y cuarenta y cinco. No habrá más preguntas porque yo seré el primer disertante.

Volvió a consultar el reloj, algunos segundos antes de la hora, y puso en marcha el cronómetro.

−Bien. Las ideas no son pensamientos, sino estructuras organizadas. Reparemos en esto y prestemos atención al modo en que están construidas nuestras ideas; descubriremos entonces un dramático aumento en la calidad de lo que pensamos. ¿No me creen? Busquen su última idea, la mejor. Ahora mismo, cierren los ojos y retengan esa idea en la mente.

Cerré los ojos alrededor de lo que habíamos descubierto: que cada uno de nosotros es un aspecto de todos los demás.

−Que cada uno observe la idea. Levante la mano quien piense que su idea está hecha de palabras. −Hizo una pausa.− ¿De metal? −Otra pausa.− ¿De espacio vacío? −Pausa.− ¿De cristal?

Levanté la mano.

−Abran los ojos, por favor.

Abrí los ojos. Leslie tenía la mano levantada, y también todos los concurrentes. Se oyó un murmullo de sorpresa, risas, ah, ohhh...

—Hay un motivo para que sean de cristal y también un motivo para la estructura que les vemos —dijo Atkin—. Toda idea efectiva responde a tres reglas de ingeniería. Busquémolas y sabremos de inmediato si la idea nos dará resultado o si se hará pedazos.

En el salón reinaba el silencio del alba en el campo.

—La primera es la regla de la simetría —continuó él—. Cerremos los ojos y examinemos la forma de nuestra idea...

La última vez que yo había sentido algo similar era al pasar a un avión de combate a chorro de plena potencia a empuje adicional: el mismo estallido de energía salvaje contra mi espalda, apenas dominado.

Mientras Atkin continuaba hablando, un hombre de la segunda fila se levantó para acercarse al pizarrón de la izquierda y anotó rápidamente, con letras de imprenta: DISEÑO Y CODIFICACION DE IDEAS COMPUTADORA-A-COMPUTADORA PARA COMPRENSION DIRECTA SIN PALABRAS.

Por supuesto, pensé. ¡Sin palabras! Las palabras son un auxiliar tan torpe de la telepatía... ¡Cuánto nos habían estorbado las palabras al conversar con Pye sobre el tiempo!

—En vez de computadora-a-computadora —susurró Leslie, escuchando y tomando notas de inmediato—, ¿por qué no mente-a-mente? ¡Algún día evitaremos el lenguaje!

—... la cuarta regla de cualquier idea efectiva —dijo Atkin— es el encanto. De las tres reglas, la cuarta es la más importante. Sin embargo, la única medida del encanto está en la...

CHIIP CHIIP CHIIP CHIIP CHIIP CHIIP CHIIP CHIIP CHIIP CHIIP

Desde el público, un gruñido de fastidio y frustración.

Atkin levantó la mano para decir que no importaba, detuvo el cronómetro, volvió a programarlo y se hizo a un lado. Un joven se adelantó a grandes pasos y habló aun antes de llegar al micrófono.

—Las naciones electrónicas no son experimentos descabellados, que puedan funcionar o no —dijo—. Ya se han iniciado, ya están funcionando y existen en este momento a nuestro alrededor, redes invisibles de quienes comparten los mismos valores e ideas. ¡Gracias, Atkin, por abrirme tan bien el camino! Los ciudadanos de estas naciones pueden ser norteamericanos, españoles, japoneses o lituanos, pero lo que mantiene unidos a sus países invisibles es más fuerte que las fronteras de cualquier geografía...

La mañana pasó volando; los rayos de luz viraron de diamante a esmeralda, de esmeralda a rubí, cobrando fuego con cada cambio y giro.

¡Qué solos nos habíamos sentido con nuestros pensamientos extraños y qué glorioso deleite era estar en familia con esos desconocidos!

—La pequeña Tink —dijo Leslie—, bendita sea su alma, ¿no estaría encantada con esto, si lo supiera?

—Claro que lo sabe —susurré—. ¿De dónde crees que surgió la idea de Spring Hill?

—¿No nos dijo que era *nuestra* hada de las ideas, otro nivel de nosotros?

Toqué la mano de Leslie.

—¿Dónde terminamos nosotros y dónde comienza la gente sentada en este salón? —pregunté.

Yo mismo no lo sabía. ¿Dónde comienzan y terminan la mente y el espíritu, dónde comienza y termina la abnegación, cuáles son los límites de la inteligencia, la curiosidad y el amor?

¡Cuántas veces habíamos lamentado no tener más cuerpos! Sólo unos pocos cuerpos más, para poder ir y quedarnos a un mismo tiempo. Podríamos vivir tranquilamente en los campos, para ver la alborada en paz, domesticar a los animales silvestres, labrar jardines y vivir junto a la tierra, y al mismo tiempo ser gente de ciudad, apretados en multitudes, para ver películas y hacerlas, asistir a conferencias y dictarlas. Nos faltaban cuerpos suficientes para conocer a la gente hora a hora y, al mismo tiempo, estar solos y juntos; para construir puentes y retiradas a una vez, para aprender todos los idiomas, dominar todas las habilidades, estudiar, practicar y enseñar todo lo que nos habría gustado saber y hacer, trabajar hasta caer de cansancio y no hacer nada en absoluto.

–...descubierto que los ciudadanos de estas naciones forjan entre sí lazos de lealtad más fuertes que la lealtad a sus países geográficos. Y eso, sin haberse conocido jamás personalmente, sin esperanzas, siquiera, de conocerse. Llegan a amarse los unos a los otros por la cualidad de su pensamiento, por su carácter...

–¡Estas personas son nosotros en otros cuerpos! –susurró Leslie–. Siempre han deseado volar en hidroavión; nosotros lo hemos hecho por ellos. Nosotros siempre hemos deseado conversar con los delfines, explorar naciones electrónicas, ¡y ellos lo están haciendo por nosotros! Las personas que aman lo mismo no son desconocidas entre sí, aunque nunca se encuentren.

CHIIP CHIIP CHIIP CHIIP CHIIP CHIIP CHIIP CHIIP CHIIP CHIIP CHIIP...

–... que comparten los mismos valores no son desconocidos entre sí –dijo el joven, apartándose del micrófono–, ¡aunque nunca se encuentren!

Leslie y yo intercambiamos una mirada y nos agregamos a un rápido aplauso para él. Luego comenzó la disertante siguiente, apoyando con fuerza sus palabras contra el reloj.

–Así como las unidades de materia más pequeñas son energía pura –dijo–, así también las unidades de energía más pequeñas pueden ser pensamiento puro. Hemos hecho una serie de experimentos; estos sugieren que cuanto nos rodea puede ser, literalmente, una construcción de nuestro pensamiento. Hemos descubierto una unidad-partícula a la que hemos llamado *imaión*...

Nuestras libretas engordaban con páginas llenas de arrugas estilográficas. Cada señal de alarma era frustración y promesa en un mismo estallido de gorjeos. ¡Cuántas cosas a decir, cuántas a aprender! ¿Cómo podían converger tantas ideas asombrosas en un mismo lugar?

Me pregunté si todos los presentes en ese salón podíamos ser una misma persona.

Noté que Leslie me miraba y me volví para encontrarme con sus ojos.

—En verdad tenemos algo que decirles —reconoció—. ¿Podremos seguir viviendo si no lo hacemos?

Le sonreí.

—Mi querida escéptica.

—... de la diversidad surge esta notable unidad —dijo la disertante—. Con mucha frecuencia vemos que cuanto imaginamos es exactamente lo que descubrimos...

Mientras ella hablaba, me levanté para acercarme al pizarrón central, busqué la tiza y anoté en letras de imprenta, al pie de la lista, el título de lo que diríamos en nuestros quince minutos.

UNO.

Después dejé la tiza y volví a sentarme junto a mi esposa, para tomarle la mano. El día apenas comenzaba.